L'École des femmes

La Critique
de l'École des femmes

MOLIÈRE

L'École des femmes

La Critique
de l'École des femmes

●

par Bénédicte Louvat-Molozay

GF Flammarion

l'Hôtel de Condé (novembre 1663) de Montfleury, dont la confrontation est plaisamment mise en scène dans *Les Amours de Calotin* (décembre 1663), comédie de Chevalier représentée sur la scène du Marais. Elle ne s'achève véritablement qu'en mars 1664, avec la publication de *La Guerre comique ou la Défense de l'École des femmes* de Philippe de la Croix [1].

Quels étaient les enjeux de cette Querelle ? Et quelles étaient les intentions de ceux qui y participèrent ? On ne peut retenir comme grief capital la remarque que l'on trouve dans les *Nouvelles nouvelles*, selon laquelle Molière aurait pris son bien chez d'autres auteurs, au premier rang desquels Scarron et Straparole : il n'est pas, au XVIIe siècle, de pièce de théâtre qui se compose autrement, les auteurs de tragédies puisant à pleines mains dans l'Histoire et la mythologie, les auteurs de comédies dans le théâtre italien, espagnol ou latin autant que dans la littérature narrative. Les vrais chefs d'accusation sont de deux types : une partie d'entre eux est esthétique, l'autre partie est plus nettement morale. Esthétique, parce que Molière a conservé, dans la forme élevée d'une comédie en cinq actes et en vers, des éléments de gros comique réservés jusqu'alors aux pièces plus courtes ; parce que, comme il le faisait désormais systématiquement depuis *Les Précieuses ridicules*, il a ancré son intrigue dans un contexte contemporain (c'est la raison pour laquelle même ses ennemis le surnommaient « le peintre »), au rebours des comédies contemporaines, dont le personnel dramatique et les coordonnées spatio-temporelles étaient presque toujours fictionnels ; parce que enfin cette comédie multipliait les récits, son auteur ayant fait le choix de faire raconter par Horace les avancées de ses amours plutôt que de les montrer directement aux spectateurs. Mais les enjeux étaient aussi moraux. La

---

1. Une chronologie détaillée et un choix de textes de la Querelle figurent dans le Dossier, p. 192.

MOLIÈRE

L'École des femmes

La Critique
de l'École des femmes

●

PRÉSENTATION

NOTES

DOSSIER

CHRONOLOGIE

BIBLIOGRAPHIE

GLOSSAIRE

par Bénédicte Louvat-Molozay

GF Flammarion

Maître de conférences à l'université de Montpellier-III, Bénédicte Louvat-Molozay est spécialiste du théâtre du XVIIe siècle. Elle a préfacé pour la collection GF *Le Tartuffe* de Molière, et a participé à l'édition des *Œuvres complètes* de cet auteur dans la Pléiade. Elle est également l'auteur, dans la collection GF-Corpus, d'une anthologie sur *Le Théâtre*.

© Flammarion, Paris, 2011.
ISBN : 978-2-0812-5044-4

Présentation[1]

Au cours de la première semaine du mois de janvier 1663, et à l'occasion de la fête des Rois, Louis XIV offre à sa cour la représentation de la nouvelle comédie de Molière. Le gazetier Loret, qui fait partie des invités, évoque en des termes élogieux une pièce « aucunement instructive,/ Et, tout à fait récréative », dont Molière est non seulement l'auteur mais aussi le « principal acteur », une pièce « qu'en plusieurs lieux on fronde ;/ Mais où pourtant va tant de monde[2] ». De fait, *L'École des femmes* constitue l'un des plus grands succès de Molière, succès durable mais aussi succès de scandale, que le dramaturge entretint savamment en transformant cette « fronde » en une véritable querelle qui eut pour effet d'asseoir définitivement son autorité littéraire.

---

1. L'auteur de cette édition sait tout ce qu'elle doit à la récente édition des *Œuvres complètes* de Molière dans la « Bibliothèque de la Pléiade » (Gallimard, 2010) à laquelle elle a collaboré avec Georges Forestier et Claude Bourqui ainsi qu'au site internet « Molière 21 » qui en est le complément électronique. La convergence de vues qui pourra apparaître au lecteur est donc tout sauf fortuite : elle est l'expression de convictions communes.

2. La *Gazette* de Loret, 13 janvier 1663. « Aucunement » signifie ici « en quelque façon », « à sa manière » ; et « fronder » veut dire « critiquer ».

L'ANNÉE DE *L'ÉCOLE DES FEMMES*

La pièce était attendue : les deux dernières créations de Molière, *L'École des maris* et *Les Fâcheux*, remontaient à l'été 1661 et, depuis son retour à Paris en 1659 et le triomphe des *Précieuses ridicules*, la troupe était réputée pour les comédies de son comédien-poète attitré plus que pour les créations ou les reprises de pièces composées par d'autres auteurs. Nouvellement installée, la troupe de Molière ne pouvait lutter à armes égales avec les deux autres compagnies parisiennes, celle du Marais et surtout celle de l'Hôtel de Bourgogne ou « Troupe royale », qui s'était dès longtemps spécialisée dans le registre tragique, même si Molière ne cessa jamais de représenter des tragédies. C'est précisément le cas pendant les six semaines qui précèdent la création de *L'École des femmes*, où l'on donne, dans la salle parisienne du Palais-Royal qu'il occupe désormais, *Oropaste ou le Faux Tonaxare* de Boyer.

L'École des femmes est représentée pour la première fois le 26 décembre 1662 au Palais-Royal et remporte immédiatement un succès sans précédent : la recette s'élève à 1 518 livres [1], soit un chiffre qui avoisine les recettes de pièces plus tardives telles que *Le Misanthrope* ou *Les Femmes savantes*. Ces chiffres se maintiennent jusqu'au début du mois de février, pour s'aligner ensuite sur des recettes beaucoup plus habituelles. Mais le registre du comédien La Grange indique qu'un nouveau pic est atteint au cours de la première quinzaine du mois de juin 1663, avec une fréquentation record le 15 juin, où la recette atteint 1 731 livres. La raison en est simple : la représentation de *L'École des femmes* est suivie, à partir du 1er juin 1663, de celle de *La Critique de l'École des femmes*, soit cette « dissertation qu[e Molière a] faite en

---

1. À titre indicatif, une famille modeste vivait avec 25 livres par mois, soit 300 livres par an.

dialogue » annoncée au mois de mars dans la Préface de *L'École des femmes*.

Avec la création de *La Critique de l'École des femmes* commençait véritablement la « querelle de *L'École des femmes* » dont l'instigateur n'était autre que Molière lui-même et qui, loin de le fragiliser, encore moins de remettre en question sa position au sein du champ littéraire et théâtral, eut pour effet de la renforcer et de la rendre incontestable. L'année 1663 est, de fait, marquée tout à la fois par les épisodes de la Querelle et par les manifestations du soutien du monarque. Non seulement *L'École des femmes* est jouée à la cour quinze jours seulement après sa création parisienne, mais le nom de Molière apparaît à la fin du mois de mai ou au début du mois de juin 1663 dans la première liste des gratifications royales (l'« excellent poète comique » reçoit alors 1 000 livres). Molière compose en retour son « Remerciement au roi [1] », texte aussi élégant que drôle, où sa Muse est présentée sous les traits de l'un de ces marquis ridicules qui commencent à peupler son théâtre. La création, à une date qui se situe entre le 16 et le 21 octobre, de *L'Impromptu de Versailles*, vient témoigner une dernière fois de la protection royale. La pièce n'est d'ailleurs rien d'autre que l'illustration de cette protection et fait du monarque la source même de l'inspiration du poète et comédien, puisqu'elle met en scène Molière et sa troupe tentant de répéter une pièce commandée par le roi, et qui est la suite de *La Critique de l'École des femmes*… Ce n'est, en outre, pas le monarque seul qui soutient ostensiblement Molière, mais la famille royale dans son ensemble, comme en témoignent les épîtres dédicatoires des pièces publiées à cette période : après avoir dédié son *École des maris* à « Monsieur », frère du roi et protecteur de sa troupe (on la nomme alors la « Troupe de Monsieur »), Molière offre son *École des femmes* à

---

1. Voir p. 183-187.

« Madame », son épouse, et sa *Critique de l'École des femmes* à Anne d'Autriche, la reine mère, réputée pour sa dévotion et peu encline, *a priori*, à soutenir un auteur de comédies.

Mais l'année 1663 est aussi rythmée par les épisodes de la querelle de *L'École des femmes*. Elle semble avoir commencé de manière informelle et surtout orale : c'est la « fronde » dont parle Robinet, pratique assez banale et particulièrement explicable dans le cas de *L'École des femmes*, dont le succès suscite inévitablement la jalousie des auteurs et des comédiens rivaux. Il n'y a rien là de singulier, et l'histoire du théâtre parisien du XVIIe siècle regorge d'épisodes de rivalité entre les troupes, qui prennent notamment la forme de pièces jumelles, composées sur le même sujet, à l'instar des deux *Bérénice* de 1670 (celle de Racine à l'Hôtel de Bourgogne, celle de Corneille au Marais). On peut même faire l'hypothèse que la « fronde » se serait probablement dissipée si Molière ne lui avait donné, avec *La Critique de l'École des femmes*, un tel retentissement, en désignant lui-même ses adversaires, réels ou supposés, ainsi que leurs soi-disant griefs, que les auteurs des textes postérieurs se contenteront généralement de reprendre. Il est vrai que *La Critique de l'École des femmes* n'est pas, à proprement parler, le premier texte de la Querelle. Ce titre revient aux *Nouvelles nouvelles* de Donneau de Visé. Publié en février 1663, soit un peu plus d'un mois après la création de *L'École des femmes*, l'ouvrage comporte un chapitre consacré à Molière, et rédigé comme une longue notice bio-bibliographique. Jeune auteur de vingt-cinq ans, Donneau de Visé – qui sera plus tard le fondateur du *Mercure galant*, l'un des premiers périodiques mondains – cherche alors à se faire un nom dans le champ littéraire et est à l'affût d'un coup médiatique. C'est ce qu'il tente de faire au même moment en se mêlant au conflit qui oppose l'abbé d'Aubignac et Corneille autour de la *Sophonisbe* de ce dernier, avant de se jeter à corps perdu dans la querelle de *L'École des femmes* et d'en devenir l'un des principaux animateurs. Car Donneau de Visé est l'auteur de quatre des textes de la Querelle, soit près de la moitié. Plusieurs éléments, cependant, permettent de douter que le polémiste soit animé par des convictions ou des positions personnelles à l'égard de la pièce de Molière : la nature et le ton des propos consacrés à Molière dans les *Nouvelles nouvelles* [1], le changement d'attitude qu'il adopte à l'égard de Corneille au cours de la même année 1663 [2] et la rapidité de son revirement à l'égard de Molière puisque, dès la fin de l'année 1665, il donnera l'une de ses comédies, *La Mère coquette*, à la troupe du Palais-Royal et sera, en 1666, un admirateur du *Misanthrope*.

S'il n'est pas certain que Molière réponde, dans sa *Critique de l'École des femmes*, au chapitre des *Nouvelles nouvelles* de Donneau de Visé, il est en revanche tout à fait assuré que c'est avec la pièce de Molière que dialoguent *Zélinde* (août 1663) du même Donneau de Visé et *Le Portrait du peintre* (octobre 1663) de Boursault, respectivement sous-titrés « la véritable critique » et « la contre-critique de *L'École des femmes* ». Ce sont là deux comédies – le recours à la forme théâtrale est l'un des traits distinctifs de cette Querelle –, dont seule la seconde semble avoir été jouée. Son auteur, le jeune dramaturge Boursault, également âgé de vingt-cinq ans, commence à peine sa carrière dramatique et semble diligenté par les acteurs et auteurs de l'Hôtel de Bourgogne pour répondre à Molière. C'est à ce *Portrait du peintre* que Molière riposte explicitement avec son *Impromptu de Versailles*. La Querelle, pourtant, ne s'arrête pas là : *L'Impromptu de Versailles* suscite un *Impromptu de*

---

1. Voir Dossier, p. 193-194.
2. Après avoir critiqué la dernière tragédie de Corneille dans ses *Nouvelles nouvelles*, il entreprend de la défendre en publiant, en mars 1663, une *Défense de la Sophonisbe de M. de Corneille*...

l'*Hôtel de Condé* (novembre 1663) de Montfleury, dont la confrontation est plaisamment mise en scène dans *Les Amours de Calotin* (décembre 1663), comédie de Chevalier représentée sur la scène du Marais. Elle ne s'achève véritablement qu'en mars 1664, avec la publication de *La Guerre comique ou la Défense de l'École des femmes* de Philippe de la Croix [1].

Quels étaient les enjeux de cette Querelle ? Et quelles étaient les intentions de ceux qui y participèrent ? On ne peut retenir comme grief capital la remarque que l'on trouve dans les *Nouvelles nouvelles*, selon laquelle Molière aurait pris son bien chez d'autres auteurs, au premier rang desquels Scarron et Straparole : il n'est pas, au XVIIe siècle, de pièce de théâtre qui se compose autrement, les auteurs de tragédies puisant à pleines mains dans l'Histoire et la mythologie, les auteurs de comédies dans le théâtre italien, espagnol ou latin autant que dans la littérature narrative. Les vrais chefs d'accusation sont de deux types : une partie d'entre eux est esthétique, l'autre partie est plus nettement morale. Esthétique, parce que Molière a conservé, dans la forme élevée d'une comédie en cinq actes et en vers, des éléments de gros comique réservés jusqu'alors aux pièces plus courtes ; parce que, comme il le faisait désormais systématiquement depuis *Les Précieuses ridicules*, il a ancré son intrigue dans un contexte contemporain (c'est la raison pour laquelle même ses ennemis le surnommaient « le peintre »), au rebours des comédies contemporaines, dont le personnel dramatique et les coordonnées spatio-temporelles étaient presque toujours fictionnels ; parce que enfin cette comédie multipliait les récits, son auteur ayant fait le choix de faire raconter par Horace les avancées de ses amours plutôt que de les montrer directement aux spectateurs. Mais les enjeux étaient aussi moraux. La

---

1. Une chronologie détaillée et un choix de textes de la Querelle figurent dans le Dossier, p. 192.

question du gros comique était, de fait, à la fois esthétique et morale, car l'une des particularités de *L'École des femmes* tient dans le recours aux équivoques sexuelles. Par ailleurs, Molière plaçait au centre de sa pièce un personnage qui incarnait le rigorisme moral, et s'appuyait sur la doctrine de l'Église en matière de mariage pour donner plus de force à son propos, ce qui semble avoir valu au dramaturge l'accusation d'impiété.

Tous ces griefs étaient, on l'a dit, désignés et développés – en même temps que leur contestation – par Molière lui-même dans sa *Critique de l'École des femmes*. Ses adversaires, réels ou supposés, ne firent que les amplifier et élargir leur cible en ne s'en prenant plus seulement à *L'École des femmes*, mais au théâtre de Molière dans son ensemble ainsi qu'au type de jeu qu'il pratiquait. Ce faisant ils contribuaient à rien de moins qu'à la célébrité du comédien-poète et ils en étaient probablement conscients. Ainsi l'année 1663 s'acheva-t-elle sur une sorte de « festival Molière » lorsque, le 11 décembre, la Troupe royale et la troupe de Molière furent invitées à représenter à l'hôtel de Condé, devant la famille royale et une partie de la cour, *La Critique de l'École des femmes*, *Le Portrait du peintre*, *L'Impromptu de Versailles* et *L'Impromptu de l'Hôtel de Condé*[1]. On a peine à croire, dès lors, que la querelle de *L'École des femmes* fut, au moins dans tous ses développements, l'acharnement d'une cohorte d'auteurs et de comédiens jaloux secondée par une armée de mondains et de dévots contre le pauvre Molière. Elle fut pour une large part un événement médiatique concerté et orchestré par Molière lui-même pour exploiter le succès de sa pièce et le renforcer en mettant au jour les dessous d'une comédie peut-être authentiquement scandaleuse.

---

1. Voir Georges Mongrédien, *La Querelle de l'École des femmes*, Nizet, 1971, p. 316-318.

Un coup de force esthétique et idéologique

En apparence, *L'École des femmes* s'inscrit dans le prolongement de *L'École des maris*. Molière l'a voulu ainsi, en appariant les deux pièces par leurs titres et en reprenant une partie de la structure et du personnel dramatique de la première pour nourrir la seconde. Pièce en trois actes et en vers, *L'École des maris* met en scène deux frères d'âge mûr, Ariste et Sganarelle, qui s'apprêtent à épouser deux jeunes sœurs qui leur ont été confiées. Alors que le premier laisse toute liberté à sa future épouse, le second lui interdit sorties et visites, pensant se prémunir ainsi du cocuage. Mais la jeune fille, qui porte le nom de l'une des amoureuses de la *commedia dell'arte* (Isabelle), a plus d'un tour dans son sac, et met à profit la bêtise et l'aveuglement de Sganarelle pour faire avancer ses affaires amoureuses, allant jusqu'à en faire le messager malgré lui de son amour en le chargeant de porter à Valère, son amoureux, des déclarations d'amour déguisées en discours de refus. La pièce s'achève, on s'en doute, par le triomphe des jeunes gens et la disqualification du barbon, qui « renonce à jamais à ce sexe trompeur ». La même donnée de départ est reprise dans *L'École des femmes*, avec une simple inversion des caractères : la jeune fille ingénieuse devient une jeune ingénue, et le barbon stupide et aveugle cède la place à un homme avisé, qui croit avoir pris toutes ses précautions pour éviter d'être trompé…

Mais « l'école des femmes » n'est pas uniquement le double de « l'école des maris », et dans la langue française le substantif « femme » ne signifie pas seulement « épouse ». Intituler une comédie « l'école des femmes », c'est se placer inévitablement sur le terrain de ce qu'on peut appeler très généralement la question féminine, celle de l'accès des femmes au savoir, celle du statut des femmes au sein du couple, de la famille et de la société, et celle de la participation des femmes à la vie culturelle autant qu'à la vie sociale [1]. Déjà présentes à la Renaissance, ces questions trouvent une nouvelle actualité dans la seconde moitié du siècle et sont portées par un courant féministe représenté entre autres par des femmes auteurs telles que Mlle de Scudéry, mais également par des hommes qui défendent, à l'instar de Poullain de La Barre, l'égalité des hommes et des femmes, voire la supériorité de ces dernières [2]. De nombreux textes contemporains s'interrogent sur le type d'éducation qu'il convient de donner aux femmes, sur les disciplines qu'on peut leur enseigner, sur la différence entre une femme savante, version féminine de la figure, honnie, du pédant, et une femme cultivée et capable de conversation. Ces thèmes figurent en bonne place dans *L'École des femmes*, où ils sont abordés par le personnage ridicule et par conséquent dans une optique anti-mondaine, délibérément rétrograde, qui est celle-là même que défend la doctrine catholique. Lorsque Arnolphe vitupère par exemple l'apprentissage de l'écriture, outil d'émancipation féminine par excellence et qui permet à Agnès d'avouer son amour à Horace dans une touchante lettre, lorsqu'il condamne les femmes auteurs (« Et femme qui compose en sait plus qu'il ne faut », I, 1), il ne fait que reprendre les positions rigoristes les plus répandues. Mais Molière sait, lorsqu'il fait tenir de tels propos à son personnage principal – et donc à lui-même, qui l'interprète –, qu'il prend son public à rebrousse-poil et qu'il le provoque. Et il provoque particulièrement ce public mondain, qui prône l'accès des femmes à la culture, qui fréquente les cercles et salons animés par des femmes, lorsque, au

---

1. Voir l'ouvrage majeur de Linda Timmermans, *L'Accès des femmes à la culture sous l'Ancien Régime*, Champion, 1990 ; rééd. « Champion classiques », 2005.
2. Voir le Dossier, p. 214-216.

centre de la pièce, il montre l'usage qu'Arnolphe réserve
à l'apprentissage de la lecture en faisant lire à Agnès les
maximes sur le mariage (III, 2).

Mais est-ce bien tout ? Pour les premiers spectateurs
de la pièce, le syntagme « école des femmes » possède
deux référents, qui sont attestés par l'existence de plusieurs ouvrages contemporains portant le titre, très
proche, de *L'École des filles*. L'un d'entre eux, *L'École
morale des filles* (1657), s'inspire de l'un des manifestes
féministes contemporains les plus connus, à savoir
l'« Histoire de Sapho » qui figure dans la Xe partie du
Grand Cyrus de Mlle de Scudéry [1]. Mais *L'École des filles*
(1655) est aussi le titre d'un ouvrage érotique, lequel était
constitué du dialogue entre deux femmes, la plus âgée
d'entre elles instruisant la plus jeune à l'art et aux plaisirs
de la sexualité. Texte très cru, cette *École des filles* fut
immédiatement interdite et son principal auteur, Michel
Millot, condamné à mort – il avait des protecteurs et
l'affaire fut étouffée –, ce qui n'empêcha pas une circula-
tion de l'ouvrage, facilitée notamment par les éditions
hollandaises. Une autre *École des filles* (1658) fut
d'ailleurs composée à la croisée des traditions : on y
trouve tour à tour un manuel d'instruction sexuelle puis
un manuel d'éducation religieuse...

Et c'est, de manière certaine, avec ces différents référents que Molière s'amuse, en faisant se rencontrer thèses
féministes et sous-entendus sexuels, et en multipliant les
explications possibles du titre. Car *L'École des femmes*,
c'est tout à la fois l'éducation que le mari veut infliger
à sa future épouse (et qui culmine dans la lecture des
« Maximes du mariage », III, 2), l'école de l'amour
(« l'amour est un grand maître » affirme ainsi Horace,
III, 4), par laquelle Agnès se métamorphose en femme,
et l'école de la sexualité enfin, celle qui seule fait venir

---

1. Voir le Dossier, p. 216-218.

« l'esprit » aux filles, comme l'indique un conte de La Fontaine [1]...

L'École des femmes a, de fait, été perçue par les contemporains comme une pièce obscène [2] ; on aurait tort de minimiser ce fait, et de réduire le groupe de ceux qui l'ont perçue comme telle aux précieuses dont se moque Molière dans *La Critique de l'École des femmes* en faisant dire à Climène, dans la scène 3 : « Il a une obscénité qui n'est pas supportable ». Et ce, pour deux raisons : d'abord les précieuses ne sont pas ces prudes effarouchées qui refusent le mariage parce qu'elles ne peuvent « souffrir la pensée de coucher contre un homme vraiment nu » (*Les Précieuses ridicules*, scène 4) ; ce sont des femmes émancipées, cultivées, qui ne sont en rien ridicules, comme le sait parfaitement Molière puisqu'elles forment une partie non négligeable de son public [3] ; ensuite la pièce ou, plus exactement, certaines scènes ou certains échanges de la pièce sont véritablement équivoques et ménagent, de fait, des sous-entendus grivois parfaitement perceptibles par les spectateurs. Ces scènes ou échanges sont aisés à identifier : Molière lui-même les indique dans la *Critique*, et ses « adversaires » les commentent à l'envi. Il s'agit, évidemment, de la célèbre scène du *le* (II, 5), dont l'équivoque est préparée par l'annonce que « le petit chat est mort », lequel chat était déjà présent dans une réplique d'Alain expliquant le retard avec lequel il vient ouvrir à Arnolphe par cette formule : « J'empêche, peur du chat, que mon moineau

---

1. Voir le Dossier, p. 224-226.
2. Pour une étude systématique de cet aspect du texte, voir Joan DeJean, *The Reinvention of Obscenity : Sex, Lies and Tabloids in Early Moderne France*, Chicago, University of Chicago Press, 2002 (le chapitre 2 est consacré à *L'École des filles*, le chapitre 3 à *L'École des femmes*).
3. Sur les représentations, très contrastées, des précieuses et de la préciosité, la synthèse la plus récente est celle de Myriam Maître, *Les Précieuses. Naissance des femmes de lettres en France au XVIIᵉ siècle*, Champion, 1999 ; rééd. « Champion Classiques », 2008.

la visite impromptue de l'époux, qui oblige l'amant à se cacher dans une armoire. Molière, surtout, la traduit en termes dramaturgiques, en fondant son intrigue sur un quiproquo dont la durée excède de loin les habitudes de la dramaturgie classique : pour Horace, Arnolphe demeure distinct du tuteur d'Agnès, le ridicule M. de la Souche, et ce, jusqu'à la dernière scène, fondée sur une reconnaissance que le spectateur a parfaitement anticipée – et qui n'est ni plus ni moins vraisemblable que celles sur lesquelles s'achèvent une part essentielle des grandes pièces de théâtre, à commencer par *Œdipe roi* de Sophocle [1]. La mise en œuvre de ce quiproquo essentiel au fonctionnement de l'intrigue explique à son tour le traitement de l'espace et le dispositif scénique adopté pour *L'École des femmes*, soit le traditionnel carrefour comique orné de deux maisons, celle d'Arnolphe d'une part, celle où est recluse Agnès d'autre part, maisons au sein desquelles le spectateur ne pénètre qu'en imagination et dont le lieu central, celui de tous les fantasmes et de tous les dangers (pour Arnolphe), est assurément la chambre d'Agnès.

Mais il y a plus : en combinant les deux sujets et en utilisant notamment les ressorts structurels du second (le quiproquo et la forme du récit) pour enrichir le premier, Molière se donnait les moyens de bâtir une pièce à la structure originale : la quasi-totalité de l'intrigue est en effet dérobée à la vue des spectateurs et rapportée sous la forme de récits, pris en charge par Agnès (II, 5), Arnolphe (IV, 1), et surtout Horace qui, à quatre reprises (I, 4 ; III, 4 ; IV, 6 et V, 2), vient rendre compte à Arnolphe de la manière dont il a renversé les plans du tuteur d'Agnès. Un tel fait structurel, dont Molière sou-

---

1. Même si le récit à deux voix d'Oronte et Enrique (v. 1740-1759), où la stichomythie (distique contre distique) est renforcée par l'anaphore de la conjonction à l'initiale (« Et... »), paraît assez délibérément artificiel.

ligne l'originalité dans la *Critique*, a pour conséquence de déplacer l'intérêt de la pièce : celui-ci ne réside plus dans la représentation des scènes à faire propres au sujet (l'amant caché dans l'armoire ou tombant de l'échelle et assommé par les valets, par exemple), ni même dans le déroulement d'une *action*, mais dans la représentation des *réactions* psychologiques et morales que l'action suscite, chez les jeunes premiers (Horace et Agnès) mais surtout chez le barbon et rival, qui est le destinataire exclusif des récits, et qui y réagit à coups de monologues.

Sont ainsi réunis, dans ce qu'il convient de considérer comme la première « grande » comédie moliéresque, deux traits caractéristiques de son théâtre : le recours à un schéma répétitif[1] ; le renversement de la hiérarchie traditionnelle des personnages, au service d'un projet tout à la fois comique et moral.

L'École des femmes est fondée en effet sur la répétition d'une même séquence constituée de cinq étapes : [1] un récit où Horace (ou Agnès à l'acte II) rapporte les derniers développements de l'histoire d'amour des jeunes gens, récit qui suscite [2] un monologue où s'exprime la colère et l'amour d'Arnolphe puis [3] une contre-attaque du personnage, qui prépare Agnès ainsi qu'Alain et Georgette à congédier le « galant »… et [4] qui croit avoir triomphé avant que [5] un nouveau récit d'Horace vienne informer Arnolphe de la mise en échec de son plan. Cette séquence, qui connaît des variantes (développement de la quatrième phase à l'acte III, présence ou absence du monologue d'Arnolphe…) est mise en œuvre à partir de la scène 5 de l'acte II – le premier récit d'Horace (I, 4) ainsi que les premiers échanges d'Arnolphe avec Alain et Georgette (I, 2 et II, 1) d'une part, avec Agnès (I, 3) d'autre part, appartiennent encore à l'exposition. À

---

1. Sur le fonctionnement essentiellement répétitif de la dramaturgie moliéresque, voir Jean de Guardia, *Poétique de Molière. Comédie et répétition*, Genève, Droz, 2007.

l'exception de la première, les séquences s'enchaînent de manière cyclique puisque une seule et même scène (le récit d'Horace à Arnolphe) clôt une séquence et commence la suivante, et l'on peut ainsi considérer que la pièce s'ordonne autour de trois séquences de scènes, qui vont de II, 5 à III, 4, de III, 4 à IV, 6 et de IV, 6 à V, 2. Le cycle est interrompu au cinquième acte, moins par le quiproquo nocturne qui remet Agnès entre les mains d'Arnolphe que par l'entrée en scène d'Enrique et d'Oronte, les deux personnages par lesquels s'opère la reconnaissance finale.

Confident malgré lui des récits d'Horace, barbon découvrant l'amour au moment où celle qu'il s'apprête à épouser lui échappe, Arnolphe est, incontestablement, le personnage principal de la pièce. En termes d'occupation scénique, le fait n'est pas douteux : Arnolphe est présent continûment, à une seule exception près, la scène 3 de l'acte II, réservée à Alain et Georgette. Quant à Agnès, elle n'apparaît que dans huit scènes, Horace dans neuf (sur les trente-deux que compte la pièce), et les deux ne sont réunis qu'une fois – encore est-ce en présence d'Arnolphe – à la scène 3 de l'acte V. Molière a donc délibérément bouleversé la hiérarchie traditionnelle qui prévaut entre les personnages de comédie, en repoussant au second plan le couple d'amoureux et en faisant du personnage-obstacle qui s'oppose à leur amour, et qui peut être le père (dans *Le Tartuffe* ou *Le Malade imaginaire*, par exemple), le tuteur (dans *L'École des maris* et *L'École des femmes*, mais également dans *Le Sicilien ou l'Amour peintre*) ou le rival (dans *Le Tartuffe* et dans *Monsieur de Pourceaugnac*), le personnage central de la pièce.

Une telle mutation s'explique, en partie au moins – mais on aurait tort de sous-estimer cette explication –, par l'extraordinaire talent d'acteur de Molière, qui interprète ces personnages ridicules avec force grimaces, « roulements d'yeux extravagants » (la *Critique*, scène 6)

EXTRAIT DU PRIVILÈGE DU ROI

Par grâce et privilège du Roi, donné à Paris, le 4ᵉ février 1663. Signé par le Roi en son Conseil, GUITONNEAU. Il est permis à GUILLAUME DE LUYNE marchand-libraire de notre bonne ville de Paris, de faire imprimer une pièce de théâtre, de la composition du Sieur MOLIÈRE intitulée : *L'École des femmes*, pendant le temps de six années ; et défenses sont faites à toutes personnes de quelque qualité et condition qu'elles soient, d'imprimer, vendre ni débiter ladite comédie de *L'École des femmes*, à peine de mille livres d'amende, et de tous dépens, dommages et intérêts : comme il est plus amplement porté par lesdites lettres.

Achevé d'imprimer pour la première fois, le 17ᵉ mars 1663.

Les exemplaires ont été fournis.

Registré sur le livre de la communauté des marchands-libraires et imprimeurs, le 16ᵉ mars 1663.

Signé, DUBRAY. Syndic.

Et ledit DE LUYNE a fait part du privilège ci-dessus, aux Sieurs SERCY, JOLY, BILLAINE, LOYSON, GUIGNARD, BARBIN, et QUINET, pour en jouir le temps porté par icelui.

À MADAME [1]

Madame,

Je suis le plus embarrassé* homme du monde, lorsqu'il me faut dédier un livre, et je me trouve si peu fait au style d'épître dédicatoire, que je ne sais par où sortir de celle-ci. Un autre auteur, qui serait en ma place, trouverait d'abord* cent belles choses à dire de VOTRE ALTESSE ROYALE, sur le titre de *L'École des femmes*, et l'offre qu'il vous en ferait. Mais pour moi, MADAME, je vous avoue mon faible [2]. Je ne sais point cet art de trouver des rapports entre des choses si peu proportionnées ; et quelques belles lumières, que mes confrères les auteurs me donnent tous les jours sur de pareils sujets, je ne vois point ce que VOTRE ALTESSE ROYALE pourrait avoir à démêler avec la comédie que je lui présente. On n'est pas en peine, sans doute*, comment il faut faire pour vous louer. La matière, MADAME, ne saute que trop aux yeux, et de quelque côté qu'on vous regarde, on rencontre gloire sur gloire*, et qualités sur qualités. Vous en avez, MADAME, du côté du rang, et de la naissance, qui vous font respecter de toute la terre. Vous en avez du côté des grâces, et de l'esprit, et du corps, qui vous font admirer

---

1. Henriette d'Angleterre, première épouse de « Monsieur », soit le frère de Louis XIV, Philippe d'Orléans, alors le protecteur de la troupe de Molière. Amie en même temps que belle-sœur et cousine du roi (elle descendait à la fois des Stuarts et des Bourbons), femme de goût, elle était l'une des personnes les plus influentes de la cour.

2. Ma maladresse.

de toutes les personnes, qui vous voient. Vous en avez du côté de l'âme, qui, si l'on ose parler ainsi, vous font aimer de tous ceux qui ont l'honneur d'approcher de vous : je veux dire cette douceur pleine de charmes, dont vous daignez tempérer la fierté des grands titres que vous portez ; cette bonté toute obligeante ; cette affabilité généreuse*, que vous faites paraître pour tout le monde : et ce sont particulièrement ces dernières pour qui je suis, et dont je sens fort bien que je ne me pourrai taire quelque jour. Mais encore une fois, MADAME, je ne sais point le biais de faire entrer ici des vérités si éclatantes, et ce sont choses, à mon avis, et d'une trop vaste étendue, et d'un mérite trop relevé, pour les vouloir renfermer dans une épître, et les mêler avec des bagatelles. Tout bien considéré, MADAME, je ne vois rien à faire ici pour moi, que de vous dédier simplement ma comédie, et de vous assurer avec tout le respect qu'il m'est possible, que je suis de VOTRE ALTESSE ROYALE,

    MADAME,

Le très humble, très obéissant,
et très obligé serviteur, J.-B. MOLIÈRE.

PRÉFACE

Bien des gens ont frondé* d'abord* cette comédie :
mais les rieurs ont été pour elle, et tout le mal qu'on en
a pu dire, n'a pu faire qu'elle n'ait eu un succès, dont je
me contente [1]. Je sais qu'on attend de moi, dans cette
impression, quelque préface, qui réponde aux censeurs,
et rende raison de mon ouvrage ; et sans doute* que je
suis assez redevable à toutes les personnes, qui lui ont
donné leur approbation, pour me croire obligé de
défendre leur jugement, contre celui des autres : mais il
se trouve qu'une grande partie des choses, que j'aurais à
dire sur ce sujet, est déjà dans une dissertation, que j'ai
faite en dialogue [2], et dont je ne sais encore ce que je
ferai. L'idée de ce dialogue, ou si l'on veut, de cette petite
comédie, me vint après les deux ou trois premières représentations de ma pièce ; je la dis cette idée dans une
maison où je me trouvai un soir, et d'abord* une personne de qualité [3], dont l'esprit est assez connu dans le
monde, et qui me fait l'honneur de m'aimer, trouva le
projet assez à son gré, non seulement pour me solliciter
d'y mettre la main, mais encore pour l'y mettre lui-même,

---

1. Dont je me satisfais pleinement.
2. Une « dissertation » est un traité savant. La formule renvoie à *La
Critique de l'École des femmes*, comme Molière l'indique quelques
lignes plus loin.
3. Dans ses *Nouvelles nouvelles*, Donneau de Visé indique le nom de
cette « personne de qualité », soit l'abbé du Buisson, poète ami de
Molière dont il fait, à tort, le véritable auteur de *La Critique de l'École
des femmes*.

et je fus étonné que deux jours après il me montra toute l'affaire exécutée, d'une manière, à la vérité, beaucoup plus galante*, et plus spirituelle, que je ne puis faire, mais où je trouvai des choses trop avantageuses pour moi, et j'eus peur, que si je produisais cet ouvrage sur notre théâtre, on ne m'accusât d'abord* d'avoir mendié les louanges, qu'on m'y donnait. Cependant cela m'empêcha, par quelque considération, d'achever ce que j'avais commencé ; mais tant de gens me pressent tous les jours de le faire, que je ne sais ce qui en sera, et cette incertitude est cause, que je ne mets point dans cette préface, ce qu'on verra dans la *Critique*, en cas que je me résolve à la faire paraître [1]. S'il faut que cela soit, je le dis encore, ce sera seulement pour venger le public du chagrin* délicat [2] de certaines gens ; car pour moi je m'en tiens assez vengé par la réussite de ma comédie, et je souhaite que toutes celles que je pourrai faire soient traitées par eux, comme celle-ci, pourvu que le reste [3] suive de même.

---

1. À la rendre publique, sous la forme de l'édition ou de la création théâtrale.
2. De l'humeur difficile.
3. C'est-à-dire le succès public.

LES PERSONNAGES

ARNOLPHE [1], autrement Monsieur de la Souche.
AGNÈS, jeune fille innocente élevée par Arnolphe.
HORACE, amant d'Agnès.
ALAIN, paysan, valet d'Arnolphe.
GEORGETTE, paysanne, servante d'Arnolphe.
CHRYSALDE, ami d'Arnolphe.
ENRIQUE, beau-frère de Chrysalde.
ORONTE, père d'Horace et grand ami d'Arnolphe [2].

La scène est dans une place de ville [3].

---

1. Le personnage était interprété par Molière ; Agnès était jouée par Catherine de Brie, Horace par La Grange, Chrysalde par L'Espy, Alain par Brécourt. La distribution des autres rôles n'est pas connue avec certitude, mais le rôle de Georgette pouvait être tenu par Louis Béjart (il interprétera, en travesti, le personnage de Mme Pernelle dans *Le Tartuffe*).

2. Cette liste des personnages combine trois types d'onomastique : l'onomastique grecque, l'onomastique d'origine italienne et l'onomastique française. À la première, largement représentée dans les textes narratifs et dramatiques contemporains (y compris le théâtre de Molière) ressortissent les noms des personnages secondaires d'Oronte et de Chrysalde qui, conformément à la racine *chrus-* contenue dans son nom, parle d'« or ». Le nom d'Horace est la francisation manifeste de celui d'Orazio, l'un des noms que portent les amoureux de la *commedia dell'arte*, et Enrique est un nom espagnol. Mais c'est surtout l'onomastique française qui est représentée dans la pièce avec les noms d'Arnolphe et Agnès, saints du calendrier liturgique (le premier, sous le nom d'Arnoul, est le patron des cocus, tandis que la seconde est la patronne des vierges), ainsi que ceux d'Alain et Georgette.

3. Dans la dernière partie du *Mémoire de Mahelot*, Michel Laurent précise (pour des reprises qui ont eu lieu au théâtre Guénégaud puis à la Comédie-Française entre 1673 et 1685) : « Théâtre est deux maisons sur le devant et le reste est une place de ville » (éd. P. Pasquier, Champion, 2005, p. 332).

ACTE PREMIER

Scène première

CHRYSALDE, ARNOLPHE

CHRYSALDE

Vous venez, dites-vous, pour lui donner la main[1] ?

ARNOLPHE

Oui, je veux terminer la chose dans demain[2].

CHRYSALDE

Nous sommes ici seuls, et l'on peut, ce me semble,
Sans craindre d'être ouïs, y discourir ensemble.
5 Voulez-vous qu'en ami je vous ouvre mon cœur ?
Votre dessein, pour vous, me fait trembler de peur ;
Et de quelque façon que vous tourniez l'affaire,
Prendre femme est à vous un coup bien téméraire.

ARNOLPHE

Il est vrai, notre ami. Peut-être que chez vous
10 Vous trouvez des sujets de craindre pour chez nous ;
Et votre front, je crois, veut que du mariage,
Les cornes soient partout l'infaillible apanage.

---

1. L'épouser.
2. Au cours de la journée de demain.

CHRYSALDE

Ce sont coups du hasard, dont on n'est point garant ;
Et bien sot, ce me semble, est le soin qu'on en prend.
15 Mais quand je crains pour vous, c'est cette raillerie
Dont cent pauvres maris ont souffert la furie :
Car enfin vous savez, qu'il n'est grands, ni petits,
Que de votre critique on ait vus garantis ;
Que vos plus grands plaisirs sont, partout où vous êtes,
20 De faire cent éclats* des intrigues secrètes...

ARNOLPHE

Fort bien : est-il au monde une autre ville aussi,
Où l'on ait des maris si patients [1] qu'ici ?
Est-ce qu'on n'en voit pas, de toutes les espèces,
Qui sont accommodés [2] chez eux de toutes pièces ?
25 L'un amasse du bien, dont sa femme fait part
À ceux qui prennent soin de le faire cornard ;
L'autre un peu plus heureux, mais non pas moins infâme*,
Voit faire tous les jours des présents à sa femme,
Et d'aucun soin jaloux n'a l'esprit combattu,
30 Parce qu'elle lui dit que c'est pour sa vertu.
L'un fait beaucoup de bruit, qui ne lui sert de guères ;
L'autre, en toute douceur, laisse aller les affaires,
Et voyant arriver chez lui le damoiseau,
Prend fort honnêtement* ses gants, et son manteau.
35 L'une de son galant*, en adroite femelle,
Fait fausse confidence à son époux fidèle,
Qui dort en sûreté sur un pareil appas,
Et le plaint, ce galant*, des soins qu'il ne perd pas.
L'autre, pour se purger de sa magnificence [3],
40 Dit qu'elle gagne au jeu l'argent qu'elle dépense ;
Et le mari benêt, sans songer à quel jeu,
Sur les gains qu'elle fait, rend des grâces à Dieu.

---

1. Qui souffrent sans se plaindre.
2. Qui sont malmenés, trompés.
3. Pour justifier son train de vie luxueux.

Enfin ce sont partout des sujets de satire,
Et comme spectateur, ne puis-je pas en rire ?
45 Puis-je pas de nos sots*...

CHRYSALDE

Oui : mais qui rit d'autrui,
Doit craindre, qu'en revanche*, on rie aussi de lui.
J'entends parler le monde, et des gens se délassent
À venir débiter les choses qui se passent :
Mais quoi que l'on divulgue aux endroits où je suis,
50 Jamais on ne m'a vu triompher de ces bruits[1] ;
J'y suis assez modeste ; et bien qu'aux occurrences[2]
Je puisse condamner certaines tolérances ;
Que mon dessein ne soit de souffrir* nullement,
Ce que d'aucuns maris souffrent* paisiblement,
55 Pourtant je n'ai jamais affecté de[3] le dire ;
Car enfin il faut craindre un revers de satire,
Et l'on ne doit jamais jurer, sur de tels cas,
De ce qu'on pourra faire, ou bien ne faire pas.
Ainsi quand à mon front, par un sort qui tout mène,
60 Il serait arrivé quelque disgrâce* humaine ;
Après mon procédé, je suis presque certain
Qu'on se contentera de s'en rire sous main ;
Et peut-être qu'encor j'aurai cet avantage,
Que quelques bonnes gens diront, que c'est dommage !
65 Mais de vous, cher compère, il en est autrement ;
Je vous le dis encor, vous risquez diablement.
Comme sur les maris accusés de souffrance,
De tout temps votre langue a daubé* d'importance[4],
Qu'on vous a vu contre eux un diable déchaîné ;
70 Vous devez marcher droit, pour n'être point berné ;
Et s'il faut que sur vous on ait la moindre prise,

---

1. Faire état de ces confidences.
2. Bien que de temps en temps.
3. Je ne me suis jamais empressé de.
4. A médit sans relâche.

Gare qu'aux carrefours on ne vous tympanise [1],
Et...

ARNOLPHE

Mon Dieu, notre ami, ne vous tourmentez point ;
Bien huppé [2] qui pourra m'attraper sur ce point.
75 Je sais les tours rusés, et les subtiles trames,
Dont, pour nous en planter, savent user les femmes,
Et comme on est dupé par leurs dextérités ;
Contre cet accident* j'ai pris mes sûretés,
Et celle que j'épouse, a toute l'innocence
80 Qui peut sauver mon front de maligne influence.

CHRYSALDE

Et que prétendez-vous qu'une sotte, en un mot...

ARNOLPHE

Épouser une sotte est pour n'être point sot* :
Je crois, en bon chrétien, votre moitié fort sage ;
Mais une femme habile* est un mauvais présage,
85 Et je sais ce qu'il coûte à de certaines gens,
Pour avoir pris les leurs avec trop de talents.
Moi j'irais me charger d'une spirituelle
Qui ne parlerait rien que cercle et que ruelle [3],
Qui de prose, et de vers, ferait de doux écrits,
90 Et que visiteraient marquis et beaux esprits,
Tandis que, sous le nom du mari de Madame,
Je serais comme un saint que pas un ne réclame [4] ?
Non, non, je ne veux point d'un esprit qui soit haut,
Et femme qui compose, en sait plus qu'il ne faut.

---

1. On ne vous raille en place publique.
2. Bien malin.
3. Réunion mondaine (« cercle ») ou alcôve (« ruelle ») où les femmes du monde reçoivent leurs visites, tels sont les lieux qui conviennent aux beaux esprits (« spirituelles ») et que nous appelons couramment les salons.
4. « On dit [...] c'est un *Saint* qu'on ne chôme plus, un *Saint* qui ne guérit de rien, en parlant d'un homme disgracié » (Furetière).

95 Je prétends que la mienne, en clartés peu sublime,
Même ne sache pas ce que c'est qu'une rime ;
Et s'il faut qu'avec elle on joue au corbillon [1],
Et qu'on vienne à lui dire, à son tour : « Qu'y met-on ? »
Je veux qu'elle réponde : « Une tarte à la crème » ;
100 En un mot, qu'elle soit d'une ignorance extrême ;
Et c'est assez pour elle, à vous en bien parler,
De savoir prier Dieu, m'aimer, coudre et filer.

CHRYSALDE

Une femme stupide est donc votre marotte ?

ARNOLPHE

Tant*, que j'aimerais mieux une laide, bien sotte,
105 Qu'une femme fort belle, avec beaucoup d'esprit.

CHRYSALDE

L'esprit et la beauté…

ARNOLPHE

L'honnêteté suffit.

CHRYSALDE

Mais comment voulez-vous, après tout, qu'une bête
Puisse jamais savoir ce que c'est qu'être honnête ?
Outre qu'il est assez ennuyeux, que je crois [2],
110 D'avoir toute sa vie une bête avec soi,
Pensez-vous le bien prendre, et que sur votre idée
La sûreté d'un front puisse être bien fondée ?
Une femme d'esprit peut trahir son devoir ;
Mais il faut, pour le moins, qu'elle ose le vouloir ;
115 Et la stupide au sien peut manquer d'ordinaire,
Sans en avoir l'envie, et sans penser le faire [3].

---

1. Jeu consistant à trouver des mots qui, comme *corbillon*, se terminent par *-on*.
2. À ce que je crois.
3. L'argumentation de Chrysalde, qui pose l'indépendance du vice et de la vertu à l'égard de l'intelligence et remet en question la relation entre sottise et vertu et, inversement, entre éducation et vice, se trouve

ARNOLPHE

À ce bel argument, à ce discours profond,
Ce que Pantagruel à Panurge répond :
Pressez-moi de me joindre à femme autre que sotte ;
120 Prêchez, patrocinez [1] jusqu'à la Pentecôte,
Vous serez ébahi, quand vous serez au bout,
Que vous ne m'aurez rien persuadé du tout [2].

CHRYSALDE

Je ne vous dis plus mot.

ARNOLPHE

                        Chacun a sa méthode.
En femme, comme en tout, je veux suivre ma mode ;
125 Je me vois riche assez, pour pouvoir, que je crois [3],
Choisir une moitié, qui tienne tout de moi,
Et de qui la soumise, et pleine dépendance,
N'ait à me reprocher aucun bien, ni naissance.
Un air doux, et posé, parmi d'autres enfants,
130 M'inspira de l'amour pour elle, dès quatre ans :
Sa mère se trouvant de pauvreté pressée,
De la lui demander il me vint la pensée,
Et la bonne paysanne [4], apprenant mon désir,
À s'ôter cette charge eut beaucoup de plaisir.
135 Dans un petit couvent, loin de toute pratique,
Je la fis élever, selon ma politique*,
C'est-à-dire ordonnant quels soins on emploierait,
Pour la rendre idiote autant qu'il se pourrait.

---

déjà dans « La précaution inutile » de Scarron et dans la pièce de Dorimond (voir Dossier, p. 205-209).
    1. Plaidez.
    2. Citation du début du chapitre V du *Tiers Livre* de Rabelais où
Pantagruel dit à Panurge : « [...] Mais preschez et patrocinez d'icy à la
Pentecoste, en fin vous serez esbahy comment rien ne me aurez persuadé » (éd. J. Céard, G. Defaux et M. Simonin, Le Livre de poche,
« La Pochothèque », 1994, p. 583).
    3. À ce que je crois.
    4. À prononcer en synérèse (c'est-à-dire en contractant en une seule
syllabe les deux voyelles contiguës du nom « paysanne »).

Dieu merci, le succès a suivi mon attente,
140 Et grande, je l'ai vue à tel point innocente,
Que j'ai béni le Ciel d'avoir trouvé mon fait,
Pour me faire une femme au gré de mon souhait.
Je l'ai donc retirée ; et comme ma demeure
À cent sortes de monde [1] est ouverte à toute heure,
145 Je l'ai mise à l'écart, comme il faut tout prévoir,
Dans cette autre maison, où nul ne me vient voir ;
Et pour ne point gâter sa bonté naturelle,
Je n'y tiens que des gens tout aussi simples qu'elle.
Vous me direz pourquoi cette narration ?
150 C'est pour vous rendre instruit de ma précaution.
Le résultat de tout, est qu'en ami fidèle,
Ce soir, je vous invite à souper avec elle :
Je veux que vous puissiez un peu l'examiner,
Et voir, si de mon choix on me doit condamner.

CHRYSALDE

155 J'y consens.

ARNOLPHE

Vous pourrez, dans cette conférence*,
Juger de sa personne, et de son innocence.

CHRYSALDE

Pour cet article-là, ce que vous m'avez dit,
Ne peut...

ARNOLPHE

La vérité passe encor mon récit.
Dans ses simplicités à tous coups je l'admire*,
160 Et parfois elle en dit, dont je pâme de rire.
L'autre jour (pourrait-on se le persuader ?)
Elle était fort en peine, et me vint demander,
Avec une innocence à nulle autre pareille,

---

1. De personnes.

Si les enfants qu'on fait, se faisaient par l'oreille [1].

CHRYSALDE

165 Je me réjouis fort, Seigneur Arnolphe...

ARNOLPHE

                                    Bon ;
Me voulez-vous toujours appeler de ce nom ?

CHRYSALDE

Ah ! malgré que j'en aie, il me vient à la bouche,
Et jamais je ne songe à Monsieur de la Souche.
Qui diable vous a fait aussi vous aviser,
170 À quarante et deux ans, de vous débaptiser ?
Et d'un vieux tronc pourri de votre métairie,
Vous faire dans le monde un nom de seigneurie ?

ARNOLPHE

Outre que la maison par ce nom se connaît,
La Souche, plus qu'Arnolphe, à mes oreilles plaît.

CHRYSALDE

175 Quel abus, de quitter le vrai nom de ses pères,
Pour en vouloir prendre un bâti sur des chimères !
De la plupart des gens c'est la démangeaison [2] ;
Et, sans vous embrasser dans la comparaison,
Je sais un paysan, qu'on appelait gros Pierre,
180 Qui n'ayant, pour tout bien, qu'un seul quartier de terre,
Y fit tout à l'entour faire un fossé bourbeux,
Et de Monsieur de l'Isle [3] en prit le nom pompeux.

---

1. Le Christ passait pour avoir été conçu ainsi, et l'idée était souvent tournée en dérision. Mais l'oreille pouvait également revêtir, dans certains contextes, une signification grivoise. Les paroles d'Arnolphe sont commentées dans la *Critique*, p. 150 et 176.

2. Ces vers se font l'écho d'une pratique courante, que le pouvoir cherche à abolir depuis le milieu des années 1650 : l'achat de faux titres de noblesse.

3. Selon l'abbé d'Aubignac (*Quatrième dissertation concernant le poème dramatique servant de réponse aux calomnies de M. Corneille*), la formule renverrait à Thomas Corneille, sieur de l'Isle.

ARNOLPHE

Vous pourriez vous passer d'exemples de la sorte :
Mais enfin de la Souche est le nom que je porte ;
185 J'y vois de la raison, j'y trouve des appas,
Et m'appeler de l'autre, est ne m'obliger pas.

CHRYSALDE

Cependant la plupart ont peine à s'y soumettre,
Et je vois même encor des adresses de lettre...

ARNOLPHE

Je le souffre* aisément de qui n'est pas instruit ;
190 Mais vous...

CHRYSALDE

        Soit. Là-dessus nous n'aurons point de bruit,
Et je prendrai le soin d'accoutumer ma bouche
À ne plus vous nommer que Monsieur de la Souche.

ARNOLPHE

Adieu : Je frappe ici pour donner le bonjour,
Et dire seulement, que je suis de retour.

CHRYSALDE *s'en allant.*

195 Ma foi je le tiens fou de toutes les manières.

ARNOLPHE

Il est un peu blessé [1] sur certaines matières.
Chose étrange* de voir, comme avec passion,
Un chacun est chaussé de son opinion !
Holà.

---

1. Il n'a pas toute sa tête.

Scène 2

ALAIN, GEORGETTE, ARNOLPHE

ALAIN

Qui heurte ?

ARNOLPHE

Ouvrez. On aura, que je pense,

200 Grande joie à me voir, après dix jours d'absence.

ALAIN

Qui va là ?

ARNOLPHE

Moi.

ALAIN

Georgette ?

GEORGETTE

Hé bien ?

ALAIN

Ouvre là-bas.

GEORGETTE

Vas-y, toi.

ALAIN

Vas-y, toi.

GEORGETTE

Ma foi, je n'irai pas.

ALAIN

Je n'irai pas aussi.

ARNOLPHE

Belle cérémonie

Pour me laisser dehors. Holà ho je vous prie.

GEORGETTE

205 Qui frappe ?

ARNOLPHE

Votre Maître.

GEORGETTE

Alain ?

ALAIN

Quoi ?

GEORGETTE

C'est Monsieur,

Ouvre vite.

ALAIN

Ouvre, toi.

GEORGETTE

Je souffle notre feu.

ALAIN

J'empêche, peur du chat, que mon moineau ne sorte [1].

ARNOLPHE

Quiconque de vous deux n'ouvrira pas la porte,
N'aura point à manger de plus de quatre jours.
210 Ha.

GEORGETTE

Par quelle raison y venir quand j'y cours ?

ALAIN

Pourquoi plutôt que moi ? Le plaisant strodagème [2] !

---

1. Plaisanterie à caractère grivois. Voir Présentation, p. 17-18.
2. Comme il le fera avec les paysans de *Dom Juan*, Molière introduit quelques marqueurs du parler populaire.

GEORGETTE

Ôte-toi donc de là.

ALAIN

Non, ôte-toi, toi-même.

GEORGETTE

Je veux ouvrir la porte.

ALAIN

Et je veux l'ouvrir, moi.

GEORGETTE

Tu ne l'ouvriras pas.

ALAIN

Ni toi non plus.

GEORGETTE

Ni toi.

ARNOLPHE

215 Il faut que j'aie ici l'âme bien patiente.

ALAIN

Au moins, c'est moi, Monsieur.

GEORGETTE

Je suis votre servante,

C'est moi.

ALAIN

Sans le respect de Monsieur que voilà,

Je te...

ARNOLPHE *recevant un coup d'Alain.*

Peste !

ALAIN

Pardon.

ARNOLPHE

Voyez ce lourdaud-là !

ALAIN

C'est elle aussi, Monsieur...

ARNOLPHE

Que tous deux on se taise.
220 Songez à me répondre, et laissons la fadaise [1].
Hé bien, Alain, comment se porte-t-on ici ?

ALAIN

Monsieur, nous nous... Monsieur, nous nous por...
[Dieu merci,
Nous nous...

*Arnolphe ôte par trois fois le chapeau de
dessus la tête d'Alain [2].*

ARNOLPHE

Qui vous apprend, impertinente* bête,
À parler devant moi, le chapeau sur la tête ?

ALAIN

225 Vous faites bien, j'ai tort.

ARNOLPHE, *à Alain.*

Faites descendre Agnès.

À Georgette.

Lorsque je m'en allai, fut-elle triste après ?

---

1. Toute la première partie de la scène est nourrie par un *lazzo* ou numéro comique de tradition italienne : les valets retardent par deux fois l'ouverture de la porte, d'abord en refusant de bouger, ensuite en se disputant pour être le premier à ouvrir, jusqu'à ce que le valet frappe son maître en croyant frapper sa femme.

2. Référence à un second *lazzo*, commencé immédiatement après que les valets ont ouvert la porte du logis et beaucoup plus court que le premier.

GEORGETTE

Triste ? Non.

ARNOLPHE

Non ?

GEORGETTE

Si fait.

ARNOLPHE

Pourquoi donc… ?

GEORGETTE

Oui, je meure,
Elle vous croyait voir de retour à toute heure ;
Et nous n'oyions jamais passer devant chez nous
230 Cheval, âne, ou mulet, qu'elle ne prît pour vous.

Scène 3

AGNÈS, ALAIN, GEORGETTE, ARNOLPHE

ARNOLPHE

La besogne à la main, c'est un bon témoignage [1].
Hé bien ! Agnès, je suis de retour du voyage,
En êtes-vous bien aise ?

AGNÈS

Oui, Monsieur, Dieu merci.

ARNOLPHE

Et moi de vous revoir, je suis bien aise aussi :
235 Vous vous êtes toujours, comme on voit, bien portée ?

---

1. La pratique de la couture ou de la broderie était encouragée chez les jeunes filles, dont elle occupait les mains, et qu'elle préservait de toute activité impure.

AGNÈS

Hors les puces, qui m'ont la nuit inquiétée* [1].

ARNOLPHE

Ah ! vous aurez dans peu quelqu'un pour les chasser.

AGNÈS

Vous me ferez plaisir.

ARNOLPHE

Je le puis bien penser.
Que faites-vous donc là ?

AGNÈS

Je me fais des cornettes [2].
240 Vos chemises de nuit et vos coiffes sont faites.

ARNOLPHE

Ha ! voilà qui va bien ; allez, montez là-haut,
Ne vous ennuyez* point, je reviendrai tantôt,
Et je vous parlerai d'affaires importantes.

Tous étant rentrés.

Héroïnes du temps, Mesdames les savantes,
245 Pousseuses de tendresse et de beaux sentiments,
Je défie à la fois tous vos vers, vos romans,
Vos lettres, billets doux, toute votre science,
De valoir cette honnête et pudique ignorance.

---

1. Nouvelle équivoque sexuelle. Voir Présentation, p. 18.
2. « Habillement de tête » (Furetière), mais aussi désignation indirecte (comme les « coiffes » qui suivent) du cocuage qui menace Arnolphe.

Dont vous voyez d'ici que les murs sont rougis ;
Simple à la vérité, par l'erreur sans seconde
320 D'un homme qui la cache au commerce du monde,
Mais qui dans l'ignorance où l'on veut l'asservir,
Fait briller des attraits capables de ravir,
Un air tout engageant, je ne sais quoi de tendre,
Dont il n'est point de cœur qui se puisse défendre.
325 Mais, peut-être, il n'est pas que vous n'ayez bien vu [1]
Ce jeune astre d'amour de tant d'attraits pourvu :
C'est Agnès qu'on l'appelle.

ARNOLPHE, à part.

Ah ! je crève* !

HORACE

Bon, voici de nouveau quelque conte gaillard,
Et ce sera de quoi mettre sur mes tablettes.

HORACE

Pour l'homme,
C'est, je crois, de la Zousse, ou Source, qu'on le nomme,
Je ne me suis pas fort arrêté sur le nom ;
330 Riche, à ce qu'on m'a dit, mais des plus sensés, non,
Et l'on m'en a parlé comme d'un ridicule.
Le connaissez-vous point ?

ARNOLPHE, à part.

La fâcheuse pilule !

HORACE

Eh ! vous ne dites mot ?

ARNOLPHE

Eh oui, je le connais.

HORACE

C'est un fou, n'est-ce pas ?

ARNOLPHE

Eh...

---

1. Peut-être n'êtes-vous pas sans avoir vu.

HORACE

Qu'en dites-vous ? quoi ?
335 Eh ? c'est-à-dire oui. Jaloux ? à faire rire.
Sot* ? Je vois qu'il en est ce que l'on m'a pu dire.
Enfin l'aimable* Agnès a su m'assujettir.
C'est un joli bijou, pour ne vous point mentir,
Et ce serait péché, qu'une beauté si rare
340 Fût laissée au pouvoir de cet homme bizarre*.
Pour moi, tous mes efforts, tous mes vœux les plus doux,
Vont à m'en rendre maître, en dépit du jaloux ;
Et l'argent que de vous j'emprunte avec franchise,
N'est que pour mettre à bout cette juste entreprise.
345 Vous savez mieux que moi quels que soient nos efforts,
Que l'argent est la clef de tous les grands ressorts,
Et que ce doux métal qui frappe tant de têtes,
En amour, comme en guerre, avance les conquêtes.
Vous me semblez chagrin* : serait-ce qu'en effet
350 Vous désapprouveriez le dessein que j'ai fait ?

ARNOLPHE

Non, c'est que je songeais…

HORACE

Cet entretien vous lasse ;
Adieu, j'irai chez vous tantôt vous rendre grâce.

ARNOLPHE

Ah ! faut-il…

HORACE *revenant.*

Derechef[1], veuillez être discret,
Et n'allez pas, de grâce, éventer mon secret.

ARNOLPHE

355 Que je sens dans mon âme…

---

1. Une autre fois, de nouveau.

HORACE *revenant.*

Et surtout à mon père,
Qui s'en ferait peut-être un sujet de colère.

ARNOLPHE, *croyant qu'il revient encore.*

Oh… Oh que j'ai souffert durant cet entretien !
Jamais trouble d'esprit ne fut égal au mien.
Avec quelle imprudence, et quelle hâte extrême
360 Il m'est venu conter cette affaire à moi-même !
Bien que mon autre nom le tienne dans l'erreur,
Étourdi montra-t-il jamais tant de fureur ?
Mais ayant tant souffert, je devais[1] me contraindre,
Jusques à m'éclaircir de ce que je dois craindre,
365 À pousser jusqu'au bout son caquet indiscret,
Et savoir pleinement leur commerce secret.
Tâchons à le rejoindre, il n'est pas loin, je pense,
Tirons-en de ce fait l'entière confidence ;
Je tremble du malheur qui m'en peut arriver,
370 Et l'on cherche souvent plus qu'on ne veut trouver.

Fin du premier acte.

---

1. J'aurais dû.

ACTE II

Scène première

ARNOLPHE

Il m'est, lorsque j'y pense, avantageux sans doute*,
D'avoir perdu mes pas, et pu manquer sa route :
Car enfin, de mon cœur le trouble impérieux,
N'eût pu se renfermer tout entier à ses yeux,
75 Il eût fait éclater* l'ennui* qui me dévore,
Et je ne voudrais pas qu'il sût ce qu'il ignore.
Mais je ne suis pas homme à gober le morceau,
Et laisser un champ libre aux vœux du damoiseau,
J'en veux rompre le cours et, sans tarder, apprendre
80 Jusqu'où l'intelligence entre eux a pu s'étendre :
J'y prends, pour mon honneur, un notable intérêt ;
Je la regarde en femme [1], aux termes qu'elle en est,
Elle n'a pu faillir, sans me couvrir de honte,
Et tout ce qu'elle a fait, enfin est sur mon compte [2].
85 Éloignement fatal ! voyage malheureux !

Frappant à la porte.

---

1. Au sens d'épouse.
2. Dès lors qu'il la considère comme sa femme, les fautes que commet Agnès touchent directement Arnolphe (sont sur « [s]on compte »).

Scène 2

ALAIN, GEORGETTE, ARNOLPHE

ALAIN

Ah ! Monsieur, cette fois…

ARNOLPHE

            Paix. Venez çà* tous deux :
Passez là, passez là. Venez là, venez dis-je.

GEORGETTE

Ah ! vous me faites peur, et tout mon sang se fige.

ARNOLPHE

C'est donc ainsi, qu'absent, vous m'avez obéi,
390 Et tous deux, de concert, vous m'avez donc trahi ?

GEORGETTE

Eh ne me mangez pas, Monsieur, je vous conjure [1].

ALAIN, *à part.*

Quelque chien enragé l'a mordu, je m'assure [2].

ARNOLPHE

Ouf. Je ne puis parler, tant je suis prévenu [3],
Je suffoque, et voudrais me pouvoir mettre nu [4].
395 Vous avez donc souffert*, ô canaille maudite,
Qu'un homme soit venu… Tu veux prendre la fuite ?
Il faut que sur-le-champ… Si tu bouges… Je veux

---

1. Les deux valets tombent à genoux, de part et d'autre d'Arnolphe.
Comme l'indique ensuite le texte, ils cherchent l'un après l'autre à
prendre la fuite (didascalie de l'édition des *Œuvres* de 1734).
2. J'en suis sûr.
3. Tant j'ai l'esprit préoccupé.
4. D'après les témoignages de Donneau de Visé (*Zélinde*, scène 8) et
Montfleury (*L'Impromptu de l'Hôtel de Condé*, scène 3), le début de
cette scène était l'occasion d'un *lazzo* où le personnage ôtait son manteau et le jetait par terre.

Que vous me disiez… Euh ? Oui, je veux que tous deux…
Quiconque remuera, par la mort, je l'assomme.
400 Comme* est-ce que chez moi s'est introduit cet homme ?
Eh ? parlez, dépêchez, vite, promptement, tôt*,
Sans rêver*, veut-on dire ?

ALAIN et GEORGETTE

Ah, ah.

GEORGETTE

Le cœur me faut [1].

ALAIN

Je meurs.

ARNOLPHE

Je suis en eau, prenons un peu d'haleine,

Il faut que je m'évente, et que je me promène.
405 Aurais-je deviné, quand je l'ai vu petit,
Qu'il croîtrait pour cela ! Ciel ! que mon cœur pâtit !
Je pense qu'il vaut mieux que de sa propre bouche
Je tire avec douceur l'affaire qui me touche :
Tâchons à modérer notre ressentiment.
410 Patience, mon cœur, doucement, doucement.
Levez-vous, et rentrant, faites qu'Agnès descende.
Arrêtez. Sa surprise en deviendrait moins grande,
Du chagrin* qui me trouble, ils iraient l'avertir ;
Et moi-même je veux l'aller faire sortir.
415 Que l'on m'attende ici.

---

1. Me manque.

tablier

Scène 3

ALAIN, GEORGETTE

GEORGETTE (peur)

Mon Dieu, qu'il est terrible !
Ses regards m'ont fait peur, mais une peur horrible,
Et jamais je ne vis un plus hideux chrétien.

ALAIN

Ce monsieur l'a fâché, je te le disais bien.

GEORGETTE

Mais que diantre est-ce là, qu'avec tant de rudesse
420 Il nous fait au logis garder notre maîtresse ?
D'où vient qu'à tout le monde il veut tant la cacher,
Et qu'il ne saurait voir personne en approcher ?

ALAIN

C'est que cette action le met en jalousie.

GEORGETTE

Mais d'où vient qu'il est pris de cette fantaisie ?

ALAIN

425 Cela vient… Cela vient, de ce qu'il est jaloux.

GEORGETTE

Oui : mais pourquoi l'est-il ? et pourquoi ce courroux ?

ALAIN

C'est que la jalousie… Entends-tu bien, Georgette,
Est une chose… là… qui fait qu'on s'inquiète*…
Et qui chasse les gens d'autour d'une maison.
430 Je m'en vais te bailler [1] une comparaison,
Afin de concevoir la chose davantage.
Dis-moi, n'est-il pas vrai, quand tu tiens ton potage,

---

1. Te donner.

Que si quelque affamé venait pour en manger,
Tu serais en colère, et voudrais le charger ?

ALAIN

435 Oui, je comprends cela.

ALAIN

C'est justement tout comme.
La femme est en effet le potage de l'homme ;
Et quand un homme voit d'autres hommes parfois,
Qui veulent dans sa soupe aller tremper leurs doigts [1],
Il en montre aussitôt une colère extrême.

GEORGETTE

440 Oui : mais pourquoi chacun n'en fait-il pas de même ?
Et que nous en voyons qui paraissent joyeux,
Lorsque leurs femmes sont avec les biaux Monsieux ?

ALAIN

C'est que chacun n'a pas cette amitié goulue,
Qui n'en veut que pour soi.

GEORGETTE

Si je n'ai la berlue,
445 Je le vois qui revient.

ALAIN

Tes yeux sont bons, c'est lui.

GEORGETTE

Vois comme* il est chagrin*.

ALAIN

C'est qu'il a de l'ennui*.

---

1. Nouvelle plaisanterie à caractère grivois. Voir Présentation, p. 18.

Scène 4

ARNOLPHE, AGNÈS, ALAIN, GEORGETTE

ARNOLPHE

Un certain Grec [1], disait à l'empereur Auguste,
Comme une instruction utile, autant que juste,
Que lorsqu'une aventure* en colère nous met,
450 Nous devons avant tout, dire notre alphabet.
Afin que dans ce temps la bile se tempère,
Et qu'on ne fasse rien que l'on ne doive faire.
J'ai suivi sa leçon sur le sujet d'Agnès ;
Et je la fais venir dans ce lieu tout exprès,
455 Sous prétexte d'y faire un tour de promenade ;
Afin que les soupçons de mon esprit malade
Puissent sur le discours la mettre adroitement :
Et lui sondant le cœur s'éclaircir doucement.
Venez, Agnès. Rentrez [2].

Scène 5

ARNOLPHE, AGNÈS

ARNOLPHE
La promenade est belle.

AGNÈS
460 Fort belle.

ARNOLPHE
Le beau jour !

AGNÈS
Fort beau !

---

1. Le philosophe Athénodore de Tarse, dans les *Apophtegmes de rois et de généraux* (XX) de Plutarque.
2. Arnolphe s'adresse à Alain et Georgette.

ARNOLPHE

Quelle nouvelle ?

AGNÈS

Le petit chat est mort [1].

ARNOLPHE

C'est dommage : mais quoi
Nous sommes tous mortels, et chacun est pour soi.
Lorsque j'étais aux champs n'a-t-il point fait de pluie ?

AGNÈS

Non.

ARNOLPHE

Vous ennuyait-il ?

AGNÈS

Jamais je ne m'ennuie.

ARNOLPHE

465 Qu'avez-vous fait encor ces neuf ou dix jours-ci ?

AGNÈS

Six chemises, je pense, et six coiffes aussi.

ARNOLPHE *ayant un peu rêvé**.

Le monde, chère Agnès, est une étrange [2] chose.
Voyez la médisance, et comme* chacun cause.
Quelques voisins m'ont dit qu'un jeune homme inconnu
470 Était en mon absence à la maison venu ;
Que vous aviez souffert sa vue et ses harangues [3];
Mais je n'ai point pris foi sur ces méchantes* langues ;
Et j'ai voulu gager* que c'était faussement...

---

1. La formule porte un sens équivoque. Voir Présentation, p. 17-18 et Dossier, p. 196-197.
2. Ici : fâcheuse.
3. Discours impertinents ou ennuyeux.

AGNÈS

Mon Dieu, ne gagez* pas, vous perdriez vraiment.

ARNOLPHE

475 Quoi ! c'est la vérité qu'un homme…

AGNÈS

Chose sûre.
Il n'a presque bougé de chez nous, je vous jure.

ARNOLPHE, *à part.*

Cet aveu qu'elle fait avec sincérité,
Me marque pour le moins son ingénuité.
Mais il me semble, Agnès, si ma mémoire est bonne,
480 Que j'avais défendu que vous vissiez personne.

AGNÈS

Oui : mais quand je l'ai vu, vous ignorez pourquoi,
Et vous en auriez fait, sans doute*, autant que moi.

ARNOLPHE

Peut-être : mais enfin, contez-moi cette histoire.

AGNÈS

Elle est fort étonnante et difficile à croire.
485 J'étais sur le balcon à travailler au frais :
Lorsque je vis passer sous les arbres d'auprès
Un jeune homme bien fait, qui rencontrant ma vue,
D'une humble révérence aussitôt me salue :
Moi, pour ne point manquer à la civilité,
490 Je fis la révérence aussi de mon côté.
Soudain, il me refait une autre révérence.
Moi, j'en refais de même une autre en diligence ;
Et lui d'une troisième aussitôt repartant,
D'une troisième aussi j'y repars à l'instant.
495 Il passe, vient, repasse, et toujours de plus belle
Me fait à chaque fois révérence nouvelle.
Et moi, qui tous ces tours fixement regardais,
Nouvelle révérence aussi je lui rendais.

Tant*, que si sur ce point la nuit ne fût venue,
500 Toujours comme cela je me serais tenue.
Ne voulant point céder, et recevoir l'ennui*,
Qu'il me pût estimer moins civile que lui.

ARNOLPHE

Fort bien.

AGNÈS

Le lendemain étant sur notre porte,
Une vieille m'aborde en parlant de la sorte :
505 « Mon enfant, le bon Dieu puisse-t-il vous bénir,
Et dans tous vos attraits longtemps vous maintenir.
Il ne vous a pas faite une belle personne,
Afin de mal user des choses qu'il vous donne.
Et vous devez savoir que vous avez blessé
510 Un cœur qui de s'en plaindre est aujourd'hui forcé. »

ARNOLPHE, à part.

Ah suppôt de Satan, exécrable damnée.

AGNÈS

« Moi, j'ai blessé quelqu'un ! fis-je tout étonnée*.
– Oui, dit-elle, blessé, mais blessé tout de bon ;
Et c'est l'homme qu'hier vous vîtes du balcon.
515 – Hélas, qui[1] pourrait, dis-je, en avoir été cause ?
Sur lui sans y penser, fis-je choir quelque chose ?
– Non, dit-elle, vos yeux ont fait ce coup fatal,
Et c'est de leurs regards qu'est venu tout son mal.
– Hé, mon Dieu ! ma surprise est, fis-je, sans seconde.
520 Mes yeux ont-ils du mal pour en donner au monde ?
– Oui, fit-elle, vos yeux, pour causer le trépas
Ma fille, ont un venin que vous ne savez pas.
En un mot, il languit le pauvre misérable ;
Et s'il faut, poursuivit la vieille charitable,
525 Que votre cruauté lui refuse un secours,

---

1. Qu'est-ce qui.

ARNOLPHE

Ne vous a-t-il point pris, Agnès, quelque autre chose...

La voyant interdite.

Ouf.

AGNÈS

Hé, il m'a...

ARNOLPHE

Quoi ?

AGNÈS

Pris...

ARNOLPHE

Euh !

AGNÈS

Le...

ARNOLPHE

Plaît-il ?

AGNÈS

Je n'ose,

Et vous vous fâcherez peut-être contre moi.

ARNOLPHE

Non.

AGNÈS

Si fait.

ARNOLPHE

Mon Dieu ! non.

AGNÈS

Jurez donc votre foi.

ARNOLPHE

575 Ma foi, soit.

AGNÈS

Il m'a pris... vous serez en colère.

ARNOLPHE

Non.

AGNÈS

Si.

ARNOLPHE

Non, non, non, non ! Diantre ! que de mystère !
Qu'est-ce qu'il vous a pris ?

AGNÈS

Il...

ARNOLPHE, *à part.*

Je souffre en damné.

AGNÈS

Il m'a pris le ruban que vous m'aviez donné [1].
À vous dire le vrai, je n'ai pu m'en défendre.

ARNOLPHE, *reprenant haleine.*

580 Passe pour le ruban. Mais je voulais apprendre
S'il ne vous a rien fait que vous baiser les bras.

AGNÈS

Comment. Est-ce qu'on fait d'autres choses [2] ?

ARNOLPHE

Non pas.
Mais pour guérir du mal qu'il dit qui le possède,

---

1. Sur cet échange (la célèbre scène du *le*), voir *La Critique de l'École des femmes*, scène 3, p. 151-153, la Présentation (p. 17) et le Dossier (p. 196).
2. Dans le texte érotique de *L'École des filles* (voir Dossier, p. 223) la jeune Fanchon pose à sa cousine, plus expérimentée, le même type de questions.

N'a-t-il point exigé de vous d'autre remède ?

AGNÈS

585 Non. Vous pouvez juger s'il en eût demandé,
Que pour le secourir j'aurais tout accordé.

ARNOLPHE

Grâce aux bontés du Ciel, j'en suis quitte à bon
                                        [compte.
Si j'y retombe plus je veux bien qu'on m'affronte [1].
Chut. De votre innocence, Agnès, c'est un effet,
590 Je ne vous en dis mot, ce qui s'est fait est fait.
Je sais qu'en vous flattant* le galant* ne désire
Que de vous abuser, et puis après s'en rire.

AGNÈS

Oh ! point. Il me l'a dit plus de vingt fois à moi.

ARNOLPHE

Ah ! vous ne savez pas ce que c'est que sa foi.
595 Mais enfin : apprenez qu'accepter des cassettes,
Et de ces beaux blondins [2] écouter les sornettes ;
Que se laisser par eux, à force de langueur,
Baiser ainsi les mains, et chatouiller le cœur,
Est un péché mortel [3] des plus gros qu'il se fasse.

AGNÈS

600 Un péché, dites-vous, et la raison de grâce ?

ARNOLPHE

La raison ? la raison est l'arrêt prononcé,
Que par ces actions le Ciel est courroucé.

---

1. Qu'on me fasse passer pour une vraie dupe.
2. Les jeunes gens à la mode, qui portaient des perruques de couleur blonde.
3. Dans la doctrine officielle de l'Église, les péchés mortels conduisent le chrétien en enfer.

AGNÈS

Courroucé. Mais pourquoi faut-il qu'il s'en courrouce ?
C'est une chose, hélas ! si plaisante et si douce.
605 J'admire* quelle joie on goûte à tout cela.
Et je ne savais point encor ces choses-là.

ARNOLPHE

Oui. C'est un grand plaisir que toutes ces tendresses,
Ces propos si gentils, et ces douces caresses ;
Mais il faut le goûter en toute honnêteté,
610 Et qu'en se mariant le crime en soit ôté.

AGNÈS

N'est-ce plus un péché lorsque l'on se marie ?

ARNOLPHE

Non.

AGNÈS

Mariez-moi donc promptement, je vous prie.

ARNOLPHE

Si vous le souhaitez, je le souhaite aussi,
Et pour vous marier on me revoit ici.

AGNÈS

615 Est-il possible ?

ARNOLPHE

Oui.

AGNÈS

Que vous me ferez aise !

ARNOLPHE

Oui ; je ne doute point que l'hymen* ne vous plaise.

AGNÈS

Vous nous voulez nous deux…

ARNOLPHE

Rien de plus assuré.

AGNÈS

Que si cela se fait, je vous caresserai[1] !

ARNOLPHE

Hé, la chose sera de ma part réciproque.

AGNÈS

620 Je ne reconnais point, pour moi, quand on se moque.
Parlez-vous tout de bon ?

ARNOLPHE

Oui, vous le pourrez voir.

AGNÈS

Nous serons mariés ?

ARNOLPHE

Oui.

AGNÈS

Mais quand ?

ARNOLPHE

Dès ce soir.

AGNÈS, *riant.*

Dès ce soir ?

ARNOLPHE

Dès ce soir. Cela vous fait donc rire ?

AGNÈS

Oui.

_____

1. Jeu sur les deux sens du verbe, l'un strictement moral (flatter,
couvrir d'attention), l'autre plus nettement physique.

ARNOLPHE

Vous voir bien contente est ce que je désire.

AGNÈS

625 Hélas ! que je vous ai grande obligation !
Et qu'avec lui j'aurai de satisfaction !

ARNOLPHE

Avec qui ?

AGNÈS

Avec... là.

ARNOLPHE

Là... là n'est pas mon compte.
À choisir un mari, vous êtes un peu prompte.
C'est un autre en un mot que je vous tiens tout prêt,
630 Et quant au monsieur, là... Je prétends, s'il vous plaît,
Dût le mettre au tombeau le mal dont il vous berce,
Qu'avec lui désormais vous rompiez tout commerce ;
Que venant au logis pour votre compliment
Vous lui fermiez au nez la porte honnêtement [1],
635 Et lui jetant, s'il heurte, un grès [2] par la fenêtre,
L'obligiez tout de bon à ne plus y paraître.
M'entendez-vous, Agnès ? Moi, caché dans un coin,
De votre procédé je serai le témoin.

AGNÈS

Las* ! il est si bien fait. C'est...

ARNOLPHE

Ah que de langage !

AGNÈS

640 Je n'aurai pas le cœur...

---

1. Conformément à ce que le devoir exige de vous.
2. Une pierre. Arnolphe demande à Agnès de se conduire comme les assiégés des épopées et romans de chevalerie qui défendent les places fortes en jetant des pierres sur les ennemis.

ARNOLPHE

Point de bruit davantage.
Montez là-haut.

AGNÈS

Mais quoi, voulez-vous...

ARNOLPHE

C'est assez.
Je suis maître, je parle, allez, obéissez [1].

Fin du second acte.

---

1. Reprise littérale de deux vers (V, 6, v. 1867-1868) du *Sertorius* de Corneille (1662), que Molière a intégré au répertoire de sa troupe en juin 1662, quatre mois après sa création au Marais, et qui fut, après ses propres comédies, la pièce la plus souvent jouée par la troupe du dramaturge jusqu'à sa mort.

ACTE III

Scène première

ARNOLPHE, AGNÈS, ALAIN, GEORGETTE

ARNOLPHE

Oui : tout a bien été, ma joie est sans pareille.
Vous avez là suivi mes ordres à merveille :
645 Confondu* de tout point le blondin séducteur ;
Et voilà de quoi sert un sage directeur[1].
Votre innocence, Agnès, avait été surprise,
Voyez sans y penser où vous vous étiez mise.
Vous enfiliez tout droit, sans mon instruction,
650 Le grand chemin d'Enfer et de perdition.
De tous ces damoiseaux on sait trop les coutumes.
Ils ont de beaux canons*, force rubans et plumes,
Grands cheveux, belles dents, et des propos fort doux :
Mais comme je vous dis la griffe est là-dessous,
655 Et ce sont vrais Satans, dont la gueule altérée
De l'honneur féminin cherche à faire curée.
Mais encore une fois, grâce au soin apporté,
Vous en êtes sortie avec honnêteté[2].
L'air dont je vous ai vue lui jeter cette pierre,
660 Qui de tous ses desseins a mis l'espoir par terre,
Me confirme encor mieux à ne point différer

---

1. Un directeur de conscience.
2. Voir note 1, p. 77.

Les noces, où je dis qu'il vous faut préparer.
Mais avant toute chose il est bon de vous faire
Quelque petit discours, qui vous soit salutaire.
665 Un siège au frais ici. Vous, si jamais en rien…

GEORGETTE

De toutes vos leçons nous nous souviendrons bien.
Cet autre monsieur-là nous en faisait accroire.
Mais…

ALAIN

S'il entre jamais, je veux jamais ne boire.
Aussi bien est-ce un sot, il nous a l'autre fois
670 Donné deux écus d'or qui n'étaient pas de poids.

ARNOLPHE

Ayez donc pour souper tout ce que je désire ;
Et pour notre contrat, comme je viens de dire,
Faites venir ici l'un ou l'autre au retour,
Le notaire qui loge au coin de ce carfour [1].

Scène 2
ARNOLPHE, AGNÈS

ARNOLPHE, *assis.*

675 Agnès, pour m'écouter, laissez là votre ouvrage.
Levez un peu la tête, et tournez le visage.
Là, regardez-moi là, durant cet entretien [2],
Et jusqu'au moindre mot imprimez-le-vous bien.
Je vous épouse, Agnès, et cent fois la journée
680 Vous devez bénir l'heur* de votre destinée :

---

1. Graphie d'époque (le mot se prononce ici en deux syllabes au lieu de trois).
2. Voir le frontispice de l'édition originale, repris quasiment à l'identique dans les *Œuvres* de 1682 (Arnolphe, assis, désigne ses yeux à une Agnès restée debout) : cf. *supra*, p. 32.

Contempler la bassesse où vous avez été,
Et dans le même temps admirer ma bonté,
Qui de ce vil état de pauvre villageoise
Vous fait monter au rang d'honorable bourgeoise,
685 Et jouir de la couche et des embrassements,
D'un homme qui fuyait tous ces engagements ;
Et dont à vingt partis fort capables de plaire,
Le cœur a refusé l'honneur qu'il vous veut faire.
Vous devez toujours, dis-je, avoir devant les yeux
690 Le peu que vous étiez sans ce nœud* glorieux* ;
Afin que cet objet d'autant mieux vous instruise,
À mériter l'état où je vous aurai mise ;
À toujours vous connaître, et faire qu'à jamais
Je puisse me louer de l'acte que je fais.
695 Le mariage, Agnès, n'est pas un badinage.
À d'austères devoirs le rang de femme engage :
Et vous n'y montez pas, à ce que je prétends,
Pour être libertine* et prendre du bon temps.
Votre sexe n'est là que pour la dépendance.
700 Du côté de la barbe est la toute-puissance.
Bien qu'on soit deux moitiés de la société,
Ces deux moitiés pourtant n'ont point d'égalité :
L'une est moitié suprême et l'autre subalterne :
L'une en tout est soumise à l'autre qui gouverne.
705 Et ce que le soldat dans son devoir instruit
Montre d'obéissance au chef qui le conduit,
Le valet à son maître, un enfant à son père,
À son supérieur le moindre petit frère [1],
N'approche point encor de la docilité,
710 Et de l'obéissance, et de l'humilité,
Et du profond respect où la femme doit être
Pour son mari, son chef, son seigneur et son maître.
Lorsqu'il jette sur elle un regard sérieux,
Son devoir aussitôt est de baisser les yeux ;
715 Et de n'oser jamais le regarder en face

---

1. Au sens de : membre d'un ordre religieux.

Que quand d'un doux regard il lui veut faire grâce.
C'est ce qu'entendent mal les femmes d'aujourd'hui :
Mais ne vous gâtez pas sur l'exemple d'autrui [1].
Gardez-vous d'imiter ces coquettes* vilaines,
720 Dont par toute la ville on chante les fredaines :
Et de vous laisser prendre aux assauts du malin,
C'est-à-dire, d'ouïr aucun jeune blondin.
Songez qu'en vous faisant moitié de ma personne ;
C'est mon honneur, Agnès, que je vous abandonne :
725 Que cet honneur est tendre, et se blesse de peu ;
Que sur un tel sujet il ne fait point de jeu :
Et qu'il est aux enfers des chaudières bouillantes
Où l'on plonge à jamais les femmes mal vivantes.
Ce que je vous dis là ne sont pas des chansons :
730 Et vous devez du cœur dévorer ces leçons.
Si votre âme les suit et fuit d'être coquette*,
Elle sera toujours comme un lis blanche et nette :
Mais s'il faut qu'à l'honneur elle fasse un faux bond,
Elle deviendra lors noire comme un charbon,
735 Vous paraîtrez à tous un objet effroyable,
Et vous irez un jour, vrai partage [2] du diable,
Bouillir dans les Enfers à toute éternité :
Dont [3] vous veuille garder la céleste bonté.
Faites la révérence. Ainsi qu'une novice
740 Par cœur dans le couvent doit savoir son office [4],
Entrant au mariage il en faut faire autant :
Et voici dans ma poche un écrit important

Il se lève.

Qui vous enseignera l'office de la femme.
J'en ignore l'auteur : mais c'est quelque bonne âme.

---

1. Le discours d'Arnolphe prend délibérément le contre-pied de la conception mondaine des relations entre les deux sexes et du mariage (voir Dossier, p. 214-220).
2. Possession.
3. Ce dont.
4. Son bréviaire.

745 Et je veux que ce soit votre unique entretien [1].
Tenez : voyons un peu si vous le lirez bien.

AGNÈS *lit.*

LES MAXIMES DU MARIAGE
OU LES DEVOIRS DE LA FEMME MARIÉE [2]
AVEC SON EXERCICE JOURNALIER

Ire MAXIME

Celle qu'un lien honnête,
Fait entrer au lit d'autrui :
Doit se mettre dans la tête,
750   Malgré le train d'aujourd'hui,
Que l'homme qui la prend, ne la prend que pour lui.

ARNOLPHE

Je vous expliquerai ce que cela veut dire :
Mais pour l'heure présente il ne faut rien que lire.

AGNÈS *poursuit.*

IIe MAXIME

Elle ne se doit parer,
755   Qu'autant que peut désirer
Le mari qui la possède.
C'est lui que touche seul le soin de sa beauté ;
Et pour rien doit être compté,
Que les autres la trouvent laide.

IIIe MAXIME

760   Loin, ces études d'œillades,
Ces eaux, ces blancs*, ces pommades,
Et mille ingrédients qui font des teints fleuris.
À l'honneur tous les jours ce sont drogues mortelles,

---

1. Possible réemploi d'un vers de l'*Horace* de Corneille (« … songe
à mes trophées/ Qu'ils soient dorénavant ton unique entretien », IV, 5).
2. Le contenu de ces maximes provient du chapitre « Du sacrement
du mariage » du *Catéchisme du Concile de Trente*, c'est-à-dire de la
doctrine officielle de l'Église sur le mariage. Certaines d'entre elles
étaient supprimées à la représentation, comme l'indique l'édition collec-
tive de 1682. Voir la Note sur l'édition, p. 30.

Et les soins de paraître belles
765   Se prennent peu pour les maris.

IVe MAXIME

Sous sa coiffe en sortant, comme l'honneur l'ordonne,
Il faut que de ses yeux elle étouffe les coups,
Car pour bien plaire à son époux,
Elle ne doit plaire à personne.

Ve MAXIME

770 Hors ceux, dont au mari la visite se rend,
La bonne règle défend
De recevoir aucune âme.
Ceux qui de galante* humeur,
N'ont affaire qu'à Madame,
775   N'accommodent pas Monsieur.

VIe MAXIME

Il faut des présents des hommes
Qu'elle se défende bien.
Car dans le siècle où nous sommes
On ne donne rien pour rien.

VIIe MAXIME

780 Dans ses meubles, dût-elle en avoir de l'ennui*
Il ne faut écritoire [1], encre, papier, ni plumes.
Le mari doit, dans les bonnes coutumes,
Écrire tout ce qui s'écrit chez lui [2].

VIIIe MAXIME

Ces sociétés déréglées,
785   Qu'on nomme belles assemblées [3],
Des femmes tous les jours corrompent les esprits.
En bonne politique* on les doit interdire ;
Car c'est là que l'on conspire
Contre les pauvres maris.

---

1. Étui dans lequel on range plumes, encre et autres éléments nécessaires à l'écriture.
2. Sur cette prévention à l'égard de l'écriture chez les femmes, voir Présentation, p. 15.
3. Les cercles et salons mondains, qui diffusent les thèses féministes.

IXe MAXIME

790 Toute femme qui veut à l'honneur se vouer,
        Doit se défendre de jouer,
        Comme d'une chose funeste.
            Car le jeu, fort décevant*,
            Pousse une femme souvent
795   À jouer de tout son reste [1].

Xe MAXIME

        Des promenades du temps,
        Ou repas qu'on donne aux champs
        Il ne faut pas qu'elle essaye.
            Selon les prudents* cerveaux,
800   Le mari, dans ces cadeaux,
            Est toujours celui qui paye.

XIe MAXIME...

Les regles du mariage

ARNOLPHE

Vous achèverez seule, et pas à pas, tantôt
Je vous expliquerai ces choses comme il faut.
Je me suis souvenu d'une petite affaire.
805 Je n'ai qu'un mot à dire, et ne tarderai guère.
Rentrez : et conservez ce livre chèrement.
Si le notaire vient, qu'il m'attende un moment.

Scène 3

ARNOLPHE

Je ne puis faire mieux que d'en faire ma femme.
Ainsi que je voudrai, je tournerai cette âme.
810 Comme un morceau de cire entre mes mains elle est,
Et je lui puis donner la forme qui me plaît.
Il s'en est peu fallu que, durant mon absence,
On ne m'ait attrapé par son trop d'innocence,
Mais il vaut beaucoup mieux, à dire vérité,
815 Que la femme qu'on a pèche de ce côté.

---

1. À jouer jusqu'à la perte de son honneur.

De ces sortes d'erreurs le remède est facile.
Toute personne simple aux leçons est docile :
Et si du bon chemin on l'a fait écarter,
Deux mots incontinent* l'y peuvent rejeter.
820 Mais une femme habile* est bien une autre bête.
Notre sort ne dépend que de sa seule tête :
De ce qu'elle s'y met rien ne la fait gauchir [1],
Et nos enseignements ne font là que blanchir*.
Son bel esprit lui sert à railler nos maximes,
825 À se faire souvent des vertus de ses crimes ;
Et trouver, pour venir à ses coupables fins,
Des détours à duper l'adresse des plus fins.
Pour se parer du coup en vain on se fatigue.
Une femme d'esprit est un diable en intrigue :
830 Et dès que son caprice [2] a prononcé tout bas
L'arrêt de notre honneur, il faut passer le pas.
Beaucoup d'honnêtes gens en pourraient bien que dire [3].
Enfin mon étourdi n'aura pas lieu d'en rire.
Par son trop de caquet il a ce qu'il lui faut.
835 Voilà de nos Français l'ordinaire défaut.
Dans la possession d'une bonne fortune,
Le secret est toujours ce qui les importune ;
Et la vanité sotte a pour eux tant d'appas,
Qu'ils se pendraient plutôt que de ne causer pas.
840 Ô que les femmes sont du diable bien tentées,
Lorsqu'elles vont choisir ces têtes éventées !
Et que... Mais le voici : cachons-nous toujours bien,
Et découvrons un peu quel chagrin* est le sien.

*Arnolphe et Horace se connaissent
mais il c'est pas que*

---

1. Rien ne la fait dévier.
2. Le dérèglement de son humeur.
3. Auraient beaucoup à en dire.

Scène 4

HORACE, ARNOLPHE

HORACE

Je reviens de chez vous, et le destin me montre
845 Qu'il n'a pas résolu que je vous y rencontre.
Mais j'irai tant de fois qu'enfin quelque moment...

ARNOLPHE

Hé mon Dieu ! n'entrons point dans ce vain compliment.
Rien ne me fâche tant que ces cérémonies,
Et si l'on m'en croyait, elles seraient bannies.
850 C'est un maudit usage, et la plupart des gens
Y perdent sottement les deux tiers de leur temps.
Mettons donc[1] sans façons. Hé bien. Vos amourettes.
Puis-je, Seigneur Horace, apprendre où vous en êtes ?
J'étais tantôt distrait par quelque vision* :
855 Mais depuis là-dessus j'ai fait réflexion.
De vos premiers progrès j'admire la vitesse,
Et dans l'événement mon âme s'intéresse[2].

HORACE

Ma foi, depuis qu'à vous s'est découvert mon cœur,
Il est à mon amour arrivé du malheur.

ARNOLPHE

860 Oh, oh ! comment cela ?

HORACE

                            La fortune cruelle
A ramené des champs le patron de la belle.

ARNOLPHE

Quel malheur !

_____
1. Sous-entendu : notre chapeau. Nouvelle allusion à un jeu de scène.
2. J'ai grand désir de savoir ce qui est arrivé.

HORACE

Et de plus, à mon très grand regret,
Il a su de nous deux le commerce secret.

ARNOLPHE

D'où, diantre ! a-t-il si tôt* appris cette aventure* ?

HORACE

865 Je ne sais. Mais enfin c'est une chose sûre.
Je pensais aller rendre, à mon heure, à peu près,
Ma petite visite à ses jeunes attraits,
Lorsque changeant pour moi de ton et de visage,
Et servante et valet m'ont bouché le passage,
870 Et d'un : « Retirez-vous, vous nous importunez »,
M'ont assez rudement fermé la porte au nez.

ARNOLPHE

La porte au nez !

HORACE

Au nez.

ARNOLPHE

La chose est un peu forte.

HORACE

J'ai voulu leur parler au travers de la porte :
Mais à tous mes propos ce qu'ils ont répondu
875 C'est : « Vous n'entrerez point, Monsieur l'a défendu. »

ARNOLPHE

Ils n'ont donc point ouvert ?

HORACE

Non. Et de la fenêtre
Agnès m'a confirmé le retour de ce maître ;
En me chassant de là d'un ton plein de fierté*,
Accompagné d'un grès que sa main a jeté.

ARNOLPHE

880 Comment d'un grès ?

HORACE

                D'un grès de taille non petite,
Dont on a par ses mains régalé ma visite.

ARNOLPHE

Diantre ! ce ne sont pas des prunes que cela [1] ;
Et je trouve fâcheux l'état où vous voilà.

HORACE

Il est vrai, je suis mal par ce retour funeste.

ARNOLPHE

885 Certes, j'en suis fâché pour vous, je vous proteste*.

HORACE

Cet homme me rompt tout [2].

ARNOLPHE

                Oui, mais cela n'est rien,
Et de vous raccrocher [3] vous trouverez moyen.

HORACE

Il faut bien essayer par quelque intelligence [4],
De vaincre du jaloux l'exacte vigilance.

ARNOLPHE

890 Cela vous est facile, et la fille, après tout,
Vous aime.

HORACE

      Assurément.

---

1. La formule, populaire, se trouve déjà dans *Sganarelle ou le Cocu
imaginaire*, scène 16, v. 366.
2. Cet homme déjoue tous mes plans.
3. Remettre bien ensemble.
4. Complicité, assistance d'un tiers.

ARNOLPHE

Vous en viendrez à bout.

HORACE

Je l'espère.

ARNOLPHE

Le grès vous a mis en déroute,
Mais cela ne doit pas vous étonner*.

HORACE

Sans doute*,
Et j'ai compris d'abord* que mon homme était là,
895 Qui sans se faire voir conduisait tout cela :
Mais ce qui m'a surpris et qui va vous surprendre,
C'est un autre incident que vous allez entendre,
Un trait hardi qu'a fait cette jeune beauté,
Et qu'on n'attendrait point de sa simplicité ;
900 Il le faut avouer, l'amour est un grand maître [1],
Ce qu'on ne fut jamais il nous enseigne à l'être,
Et souvent de nos mœurs l'absolu changement
Devient par ses leçons l'ouvrage d'un moment.
De la nature en nous il force les obstacles,
905 Et ses effets soudains ont de l'air des miracles,
D'un avare à l'instant il fait un libéral :
Un vaillant d'un poltron, un civil d'un brutal.
Il rend agile à tout l'âme la plus pesante,
Et donne de l'esprit à la plus innocente :
910 Oui, ce dernier miracle éclate* dans Agnès,
Car tranchant avec moi par ces termes exprès,
« Retirez-vous, mon âme aux visites renonce,
Je sais tous vos discours : Et voilà ma réponse. »
Cette pierre ou ce grès dont vous vous étonniez,

---

1. La formule se trouve dans *La Suite du Menteur* (II, 3, v. 586) de Corneille ; elle est en outre l'une des explicitations possibles du titre et constitue surtout un lieu commun de l'idéologie galante, fondée sur la célébration du sentiment amoureux (comme l'indique encore la suite de la tirade).

915 Avec un mot de lettre est tombée à mes pieds,
Et j'admire de voir cette lettre ajustée,
Avec le sens des mots ; et la pierre jetée ;
D'une telle action n'êtes-vous pas surpris ?
L'amour sait-il pas l'art d'aiguiser les esprits ?
920 Et peut-on me nier que ses flammes puissantes,
Ne fassent dans un cœur des choses étonnantes ?
Que dites-vous du tour, et de ce mot d'écrit ?
Euh ! n'admirez-vous point cette adresse d'esprit ?
Trouvez-vous pas plaisant de voir quel personnage
925 A joué mon jaloux dans tout ce badinage ?
Dites,

ARNOLPHE

Oui, fort plaisant.

Arnolphe rit d'un ris forcé.

HORACE

Riez-en donc un peu.
Cet homme gendarmé d'abord* contre mon feu,
Qui chez lui se retranche, et de grès fait parade,
Comme si j'y voulais entrer par escalade,
930 Qui pour me repousser dans son bizarre* effroi,
Anime du dedans tous ses gens contre moi,
Et qu'abuse à ses yeux par sa machine [1] même,
Celle qu'il veut tenir dans l'ignorance extrême :
Pour moi je vous l'avoue, encor que son retour
935 En un grand embarras jette ici mon amour,
Je tiens cela plaisant autant qu'on saurait dire,
Je ne puis y songer sans de bon cœur en rire.
Et vous n'en riez pas assez à mon avis.

ARNOLPHE, *avec un ris forcé.*

Pardonnez-moi, j'en ris tout autant que je puis.

---

1. Par sa ruse.

HORACE

940 Mais il faut qu'en ami je vous montre la lettre.
Tout ce que son cœur sent, sa main a su l'y mettre :
Mais en termes touchants, et tous pleins de bonté,
De tendresse innocente, et d'ingénuité,
De la manière enfin que la pure nature
945 Exprime de l'amour la première blessure.

ARNOLPHE, *bas*

Voilà, friponne, à quoi l'écriture te sert,
Et contre mon dessein l'art t'en fut découvert.

HORACE *lit.*

« Je veux vous écrire, et je suis bien en peine par où je
m'y prendrai. J'ai des pensées que je désirerais que vous
sussiez ; mais je ne sais comment faire pour vous les dire,
et je me défie de mes paroles. Comme je commence à
connaître qu'on m'a toujours tenue dans l'ignorance, j'ai
peur de mettre quelque chose qui ne soit pas bien, et d'en
dire plus que je ne devrais. En vérité je ne sais ce que
vous m'avez fait ; mais je sens que je suis fâchée à mourir
de ce qu'on me fait faire contre vous, que j'aurai toutes
les peines du monde à me passer de vous, et que je serais
bien aise d'être à vous. Peut-être qu'il y a du mal à dire
cela ; mais enfin je ne puis m'empêcher de le dire, et je
voudrais que cela se pût faire, sans qu'il y en eût. On me
dit fort, que tous les jeunes hommes sont des trompeurs ;
qu'il ne les faut point écouter, et que tout ce que vous
me dites, n'est que pour m'abuser ; mais je vous assure,
que je n'ai pu encore me figurer cela de vous ; et je suis
si touchée de vos paroles, que je ne saurais croire qu'elles
soient menteuses. Dites-moi franchement ce qui en est :
car enfin, comme je suis sans malice, vous auriez le plus
grand tort du monde, si vous me trompiez. Et je pense
que j'en mourrais de déplaisir [1]. »

---

1. La lettre d'Agnès s'inscrit dans la tradition, alors réactivée, de la
lettre d'amour (cf. les *Héroïdes* d'Ovide) et se caractérise en outre par

ARNOLPHE

Hom, chienne.

HORACE

Qu'avez-vous ?

ARNOLPHE

Moi ? rien ; c'est que je tousse.

HORACE

Avez-vous jamais vu, d'expression plus douce,
50 Malgré les soins maudits d'un injuste pouvoir,
Un plus beau naturel peut-il se faire voir ?
Et n'est-ce pas sans doute* un crime punissable,
De gâter méchamment ce fonds d'âme admirable ?
D'avoir dans l'ignorance et la stupidité,
55 Voulu de cet esprit étouffer la clarté ?
L'amour a commencé d'en déchirer le voile,
Et si, par la faveur de quelque bonne étoile,
Je puis, comme j'espère, à ce franc animal,
Ce traître, ce bourreau, ce faquin*, ce brutal…

ARNOLPHE

60 Adieu.

HORACE

Comment, si vite ?

ARNOLPHE

Il m'est dans la pensée
Venu tout maintenant une affaire pressée.

HORACE

Mais ne sauriez-vous point, comme on la tient de près,
Qui dans cette maison pourrait avoir accès ?
J'en use sans scrupule, et ce n'est pas merveille,
65 Qu'on se puisse entre amis servir à la pareille.

une forme de « naturel » qui fera le succès des *Lettres portugaises* de
Guilleragues (1669).

Je n'ai plus là-dedans que gens pour m'observer,
Et servante et valet que je viens de trouver,
N'ont jamais de quelque air que je m'y sois pu prendre
Adouci leur rudesse à me vouloir entendre,
970 J'avais pour de tels coups certaine vieille en main,
D'un génie, à vrai dire, au-dessus de l'humain,
Elle m'a dans l'abord [1] servi de bonne sorte :
Mais depuis quatre jours la pauvre femme est morte,
Ne me pourriez-vous point ouvrir [2] quelque moyen ?

ARNOLPHE

975 Non vraiment, et sans moi vous en trouverez bien.

HORACE

Adieu donc. Vous voyez ce que je vous confie.

Scène 5

ARNOLPHE

Comme il faut devant lui que je me mortifie [3],
Quelle peine à cacher mon déplaisir cuisant.
Quoi pour une innocente, un esprit si présent ?
980 Elle a feint être telle à mes yeux, la traîtresse ;
Ou le diable à son âme a soufflé cette adresse :
Enfin me voilà mort par ce funeste écrit,
Je vois qu'il a, le traître, empaumé [4] son esprit,
Qu'à ma suppression [5] il s'est ancré chez elle,
985 Et c'est mon désespoir, et ma peine mortelle,
Je souffre doublement dans le vol de son cœur,
Et l'amour y pâtit aussi bien que l'honneur.
J'enrage de trouver cette place usurpée,
Et j'enrage de voir ma prudence trompée.

---

1. C'est-à-dire pour aborder la jeune fille.
2. Aider à concevoir.
3. Que je supporte cette humiliation.
4. S'est emparé de.
5. Que pour me supprimer.

90 Je sais que pour punir son amour libertin*
Je n'ai qu'à laisser faire à son mauvais destin,
Que je serai vengé d'elle par elle-même :
Mais il est bien fâcheux de perdre ce qu'on aime.
Ciel ! puisque pour un choix j'ai tant philosophé [1],
95 Faut-il de ses appas m'être si fort coiffé [2] ?
Elle n'a ni parents, ni support, ni richesse,
Elle trahit mes soins, mes bontés, ma tendresse,
Et cependant je l'aime, après ce lâche tour,
Jusqu'à ne me pouvoir passer de cet amour [3].
100 Sot, n'as-tu point de honte, ah je crève*, j'enrage,
Et je souffletterais mille fois mon visage,
Je veux entrer un peu ; mais seulement pour voir
Quelle est sa contenance après un trait si noir.
Ciel ! faites que mon front soit exempt de disgrâce*,
105 Ou bien s'il est écrit qu'il faille que j'y passe,
Donnez-moi tout au moins, pour de tels accidents*,
La constance qu'on voit à de certaines gens !

Fin du troisième acte.

---

1. Réfléchi vainement (le verbe « philosopher » est doté d'une connotation péjorative).
2. Amouraché.
3. Le passage reprend, sur un mode parodique, une célèbre tirade d'Hérode (IV, 1, v. 1115-1140) dans la tragédie *La Mariane* de Tristan L'Hermite. Le rôle d'Hérode est sollicité une nouvelle fois à la scène 4 de l'acte V (voir note 2, p. 126 et Dossier, p. 230-231).

ACTE IV

Scène première

ARNOLPHE

J'ai peine, je l'avoue, à demeurer en place,
Et de mille soucis mon esprit s'embarrasse*,
1010 Pour pouvoir mettre un ordre et dedans et dehors,
Qui du godelureau [1] rompe tous les efforts :
De quel œil la traîtresse a soutenu ma vue,
De tout ce qu'elle a fait elle n'est point émue.
Et bien qu'elle me mette à deux doigts du trépas,
1015 On dirait à la voir qu'elle n'y touche pas [2].
Plus en la regardant je la voyais tranquille,
Plus je sentais en moi s'échauffer une bile,
Et ces bouillants transports* dont s'enflammait mon cœur,
Y semblaient redoubler mon amoureuse ardeur.
1020 J'étais aigri, fâché, désespéré contre elle,
Et cependant jamais je ne la vis si belle ;
Jamais ses yeux aux miens n'ont paru si perçants,
Jamais je n'eus pour eux des désirs si pressants,
Et je sens là-dedans qu'il faudra que je crève*,
1025 Si de mon triste* sort la disgrâce* s'achève.
Quoi ? j'aurai dirigé son éducation
Avec tant de tendresse et de précaution,
Je l'aurai fait passer chez moi dès son enfance,

---

1. Jeune séducteur (terme burlesque).
2. Qu'elle n'y songe pas.

Et j'en aurai chéri la plus tendre espérance,
30 Mon cœur aura bâti sur ses attraits naissants,
Et cru la mitonner pour moi durant treize ans,
Afin qu'un jeune fou dont elle s'amourache
Me la vienne enlever jusque sur la moustache [1],
Lorsqu'elle est avec moi mariée à demi !
035 Non, parbleu, non, parbleu, petit sot mon ami,
Vous aurez beau tourner ou j'y perdrai mes peines,
Ou je rendrai, ma foi, vos espérances vaines,
Et de moi tout à fait vous ne vous rirez point.

Scène 2
LE NOTAIRE, ARNOLPHE

LE NOTAIRE

Ah le voilà ! Bonjour, me voici tout à point
040 Pour dresser le contrat que vous souhaitez faire.

ARNOLPHE, *sans le voir.*

Comment faire ?

LE NOTAIRE
Il le faut dans la forme ordinaire.

ARNOLPHE, *sans le voir.*

À mes précautions je veux songer de près.

LE NOTAIRE
Je ne passerai rien contre vos intérêts.

ARNOLPHE, *sans le voir.*

Il se faut garantir de toutes les surprises.

---

1. À mon nez et à ma barbe, voire « avec violence » (Furetière).
Comme le verbe *mitonner* dans son sens figuré, l'expression appartient
au style familier.

LE NOTAIRE

1045 Suffit qu'entre mes mains vos affaires soient mises.
Il ne vous faudra point de peur d'être déçu*,
Quittancer le contrat que vous n'ayez reçu[1].

ARNOLPHE, *sans le voir.*

J'ai peur, si je vais faire éclater* quelque chose
Que de cet incident par la ville on ne cause.

LE NOTAIRE

1050 Eh bien il est aisé d'empêcher cet éclat*,
Et l'on peut en secret faire votre contrat.

ARNOLPHE, *sans le voir.*

Mais comment faudra-t-il qu'avec elle j'en sorte ?

LE NOTAIRE

Le douaire[2] se règle au bien qu'on vous apporte.

ARNOLPHE, *sans le voir.*

Je l'aime, et cet amour est mon grand embarras.

LE NOTAIRE

1055 On peut avantager une femme en ce cas.

ARNOLPHE, *sans le voir.*

Quel traitement lui faire en pareille aventure* ?

LE NOTAIRE

L'ordre est que le futur doit douer la future
Du tiers du dot[3] qu'elle a, mais cet ordre n'est rien,
Et l'on va plus avant lorsque l'on le veut bien.

ARNOLPHE, *sans le voir.*

1060 Si...

---

1. Donner quittance avant d'avoir touché la dot.
2. Terme spécialisé : pension que le mari laisse à sa femme si elle devient veuve.
3. On dirait aujourd'hui « de la dot », au féminin.

LE NOTAIRE. *Arnolphe l'apercevant.*

Pour le préciput [1] il les regarde ensemble.
Je dis que le futur peut comme bon lui semble
Douer la future.

ARNOLPHE, *l'ayant aperçu.*

Euh !

LE NOTAIRE

Il peut l'avantager
Lorsqu'il l'aime beaucoup et qu'il veut l'obliger,
Et cela par douaire, ou préfix qu'on appelle,
065 Qui demeure perdu par le trépas d'icelle,
Ou sans retour, qui va de ladite à ses hoirs [2],
Ou coutumier, selon les différents vouloirs,
Ou par donation dans le contrat formelle,
Qu'on fait, ou pure et simple, ou qu'on fait mutuelle ;
070 Pourquoi hausser le dos ? est-ce qu'on parle en fat*,
Et que l'on ne sait pas les formes d'un contrat ?
Qui me les apprendra ? personne ; je présume.
Sais-je pas qu'étant joints on est par la Coutume
Communs en meubles, biens, immeubles et conquêts [3],
075 À moins que par un acte on y renonce exprès ?
Sais-je pas que le tiers du bien de la future
Entre en communauté ? pour...

ARNOLPHE

Oui, c'est chose sûre,
Vous savez tout cela, mais qui vous en dit mot ?

LE NOTAIRE

Vous qui me prétendez faire passer pour sot,
1080 En me haussant l'épaule, et faisant la grimace.

---

1. Partie prélevée sur les biens communs et destinée à celui des deux époux qui sera veuf le premier.
2. Héritiers.
3. Acquêts.

ARNOLPHE

La peste soit fait l'homme, et sa chienne de face.
Adieu. C'est le moyen de vous faire finir.

LE NOTAIRE

Pour dresser un contrat m'a-t-on pas fait venir ?

ARNOLPHE

Oui, je vous ai mandé : mais la chose est remise,
1085 Et l'on vous mandera quand l'heure sera prise.
Voyez quel diable d'homme avec son entretien !

LE NOTAIRE

Je pense qu'il en tient [1], et je crois penser bien.

Scène 3
LE NOTAIRE, ALAIN, GEORGETTE, ARNOLPHE

LE NOTAIRE

M'êtes-vous pas venu quérir pour votre maître ?

ALAIN

Oui.

LE NOTAIRE

J'ignore pour qui vous le pouvez connaître :
1090 Mais allez de ma part lui dire de ce pas
Que c'est un fou fieffé.

GEORGETTE

Nous n'y manquerons pas.

---

1. Qu'il a trop bu.

Scène 4

ALAIN, GEORGETTE, ARNOLPHE

ALAIN

Monsieur…

ARNOLPHE

Approchez-vous, vous êtes mes fidèles,
Mes bons, mes vrais amis, et j'en sais des nouvelles.

ALAIN

Le notaire…

ARNOLPHE

Laissons, c'est pour quelque autre jour.
095 On veut à mon honneur jouer d'un mauvais tour ;
Et quel affront pour vous, mes enfants, pourrait-ce être,
Si l'on avait ôté l'honneur à votre maître ?
Vous n'oseriez après paraître en nul endroit,
Et chacun vous voyant vous montrerait au doigt :
100 Donc puisque autant que moi l'affaire vous regarde,
Il faut de votre part faire une telle garde,
Que ce galant* ne puisse en aucune façon…

GEORGETTE

Vous nous avez tantôt montré notre leçon.

ARNOLPHE

Mais à ses beaux discours gardez bien de vous rendre.

ALAIN

105 Oh vraiment…

GEORGETTE

Nous savons comme* il faut s'en défendre.

ARNOLPHE

S'il venait doucement : « Alain, mon pauvre cœur,
Par un peu de secours soulage ma langueur. »

ALAIN

Vous êtes un sot.

ARNOLPHE, *à Georgette.*

Bon. « Georgette, ma mignonne
Tu me parais si douce, et si bonne personne. »

GEORGETTE

1110 Vous êtes un nigaud.

ARNOLPHE, *à Alain.*

Bon. « Quel mal trouves-tu
Dans un dessein honnête, et tout plein de vertu ? »

ALAIN

Vous êtes un fripon.

ARNOLPHE, *à Georgette.*

Fort bien. « Ma mort est sûre
Si tu ne prends pitié des peines que j'endure. »

GEORGETTE

Vous êtes un benêt, un impudent.

ARNOLPHE

Fort bien.

1115 « Je ne suis pas un homme à vouloir rien pour rien,
Je sais quand on me sert en garder la mémoire :
Cependant par avance, Alain voilà pour boire,
Et voilà pour t'avoir, Georgette, un cotillon [1],

> *Ils tendent tous deux la main, et prennent l'argent.*

Ce n'est de mes bienfaits qu'un simple échantillon
1120 Toute la courtoisie enfin dont je vous presse,
C'est que je puisse voir votre belle maîtresse. »

---

1. Jupon.

GEORGETTE, *le poussant.*

À d'autres.

ARNOLPHE

Bon cela.

ALAIN, *le poussant.*

Hors d'ici.

ARNOLPHE

Bon.

GEORGETTE, *le poussant.*

Mais tôt*.

ARNOLPHE

Bon. Holà, c'est assez.

GEORGETTE

Fais-je pas comme il faut ?

ALAIN

Est-ce de la façon que vous voulez l'entendre ?

ARNOLPHE

125 Oui, fort bien, hors l'argent qu'il ne fallait pas prendre.

GEORGETTE

Nous ne nous sommes pas souvenus de ce point.

ALAIN

Voulez-vous qu'à l'instant nous recommencions ?

ARNOLPHE

Point.

Suffit, rentrez tous deux.

ALAIN

Vous n'avez rien qu'à dire.

ARNOLPHE

Non, non, dis-je, rentrez, puisque je le désire.
1130 Je vous laisse l'argent, allez, je vous rejoins,
Ayez bien l'œil à tout, et secondez mes soins.

Scène 5

ARNOLPHE

Je veux pour espion qui soit d'exacte vue,
Prendre le savetier du coin de notre rue ;
Dans la maison toujours je prétends la tenir,
1135 Y faire bonne garde, et surtout en bannir
Vendeuses de ruban, perruquières, coiffeuses,
Faiseuses de mouchoirs, gantières, revendeuses [1],
Tous ces gens qui sous main travaillent chaque jour
À faire réussir les mystères d'amour ;
1140 Enfin j'ai vu le monde, et j'en sais les finesses,
Il faudra que mon homme ait de grandes adresses
Si message ou poulet* de sa part peut entrer.

Scène 6

HORACE, ARNOLPHE

HORACE

La place m'est heureuse à vous y rencontrer.
Je viens de l'échapper bien belle je vous jure.
1145 Au sortir d'avec vous sans prévoir l'aventure*,
Seule dans son balcon j'ai vu paraître Agnès,
Qui des arbres prochains prenait un peu le frais,
Après m'avoir fait signe, elle a su faire en sorte
Descendant au jardin de m'en ouvrir la porte :
1150 Mais à peine tous deux dans sa chambre étions-nous,

---

1. Marchandes ambulantes.

Qu'elle a sur les degrés* entendu son jaloux,
Et tout ce qu'elle a pu dans un tel accessoire [1],
C'est de me renfermer dans une grande armoire.
Il est entré d'abord* : je ne le voyais pas,
1155 Mais je l'oyais marcher sans rien dire à grands pas ;
Poussant de temps en temps des soupirs pitoyables,
Et donnant quelquefois de grands coups sur les tables,
Frappant un petit chien qui pour lui s'émouvait*,
Et jetant brusquement les hardes* qu'il trouvait,
1160 Il a même cassé, d'une main mutinée,
Des vases dont la belle ornait sa cheminée,
Et sans doute* il faut bien qu'à ce becque cornu [2],
Du trait qu'elle a joué quelque jour soit venu.
Enfin après cent tours ayant de la manière [3],
1165 Sur ce qui n'en peut mais [4] déchargé sa colère,
Mon jaloux inquiet* sans dire son ennui*,
Est sorti de la chambre, et moi de mon étui,
Nous n'avons point voulu de peur du personnage,
Risquer à nous tenir ensemble davantage,
1170 C'était trop hasarder ; mais je dois cette nuit,
Dans sa chambre un peu tard m'introduire sans bruit,
En toussant par trois fois je me ferai connaître,
Et je dois au signal voir ouvrir la fenêtre,
Dont avec une échelle, et secondé d'Agnès,
1175 Mon amour tâchera de me gagner l'accès.
Comme à mon seul ami je veux bien vous l'apprendre,
L'allégresse du cœur s'augmente à la répandre,
Et goûtât-on cent fois un bonheur tout parfait,
On n'en est pas content si quelqu'un ne le sait.
1180 Vous prendrez part, je pense, à l'heur* de mes affaires.
Adieu je vais songer aux choses nécessaires.

---

1. Dans une situation aussi défavorable.
2. Mari trompé (de l'italien *becco cornuto*, littéralement « bouc
cornu »).
3. Ayant ainsi.
4. Sur ce qui n'en peut plus supporter davantage.

Qui souffrent* doucement l'approche des galants*.

CHRYSALDE

C'est un étrange* fait, qu'avec tant de lumières,
Vous vous effarouchiez* toujours sur ces matières,
1230 Qu'en cela vous mettiez le souverain bonheur,
Et ne conceviez point au monde d'autre honneur.
Être avare, brutal, fourbe, méchant, et lâche,
N'est rien à votre avis auprès de cette tache,
Et de quelque façon qu'on puisse avoir vécu,
1235 On est homme d'honneur quand on n'est point cocu.
À le bien prendre au fond, pourquoi voulez-vous croire,
Que de ce cas fortuit dépende notre gloire* ?
Et qu'une âme bien née ait à se reprocher,
L'injustice d'un mal qu'on ne peut empêcher ?
1240 Pourquoi voulez-vous, dis-je, en prenant une femme
Qu'on soit digne à son choix de louange ou de blâme,
Et qu'on s'aille former un monstre plein d'effroi,
De l'affront que nous fait son manquement de foi ?
Mettez-vous dans l'esprit qu'on peut du cocuage,
1245 Se faire en galant* homme une plus douce image,
Que des coups du hasard aucun n'étant garant,
Cet accident* de soi doit être indifférent,
Et qu'enfin tout le mal quoi que le monde glose,
N'est que dans la façon de recevoir la chose.
1250 Et pour se bien conduire en ces difficultés,
Il y faut comme en tout fuir les extrémités [1],
N'imiter pas ces gens un peu trop débonnaires,
Qui tirent vanité de ces sortes d'affaires ;
De leurs femmes toujours vont citant les galants*,
1255 En font partout l'éloge, et prônent leurs talents,
Témoignent avec eux d'étroites sympathies,
Sont de tous leurs cadeaux [2], de toutes leurs parties :

---

1. Depuis Aristote (*Éthique à Nicomaque*), le juste milieu (ou
« médiocrité ») est considéré comme l'idéal en matière de morale. C'est
l'un des credos du personnage raisonnable dans les pièces de Molière.
2. Divertissements.

Et font qu'avec raison les gens sont étonnés,
De voir leur hardiesse à montrer là leur nez.
260 Ce procédé sans doute* est tout à fait blâmable :
Mais l'autre extrémité n'est pas moins condamnable,
Si je n'approuve pas ces amis des galants*,
Je ne suis pas aussi pour ces gens turbulents,
Dont l'imprudent chagrin* qui tempête et qui gronde,
265 Attire au bruit qu'il fait les yeux de tout le monde ;
Et qui par cet éclat* semblent ne pas vouloir
Qu'aucun puisse ignorer ce qu'ils peuvent avoir.
Entre ces deux partis il en est un honnête,
Où dans l'occasion l'homme prudent* s'arrête,
270 Et quand on le sait prendre on n'a point à rougir,
Du pis dont une femme avec nous puisse agir.
Quoi qu'on en puisse dire, enfin le cocuage
Sous des traits moins affreux aisément s'envisage :
Et comme je vous dis, toute l'habileté*
275 Ne va qu'à le savoir tourner du bon côté.

ARNOLPHE

Après ce beau discours, toute la confrérie [1],
Doit un remerciement à Votre Seigneurie :
Et quiconque voudra vous entendre parler,
Montrera de la joie à s'y voir enrôler.

CHRYSALDE

280 Je ne dis pas cela, car c'est ce que je blâme :
Mais comme c'est le sort qui nous donne une femme,
Je dis que l'on doit faire ainsi qu'au jeu de dés,
Où s'il ne vous vient pas ce que vous demandez,
Il faut jouer d'adresse, et d'une âme réduite [2],
285 Corriger le hasard par la bonne conduite.

ARNOLPHE

C'est-à-dire dormir, et manger toujours bien,

---

1. « Les sots sont de la grande confrérie » (Furetière).
2. Ramenée à la raison.

Et se persuader que tout cela n'est rien.

CHRYSALDE

Vous pensez vous moquer : mais à ne vous rien feindre,
Dans le monde je vois cent choses plus à craindre,
1290 Et dont je me ferais un bien plus grand malheur,
Que de cet accident* qui vous fait tant de peur.
Pensez-vous qu'à choisir de deux choses prescrites,
Je n'aimasse pas mieux être ce que vous dites,
Que de me voir mari de ces femmes de bien,
1295 Dont la mauvaise humeur fait un procès sur rien :
Ces dragons de vertu, ces honnêtes diablesses,
Se retranchant toujours sur leurs sages prouesses,
Qui pour un petit tort qu'elles ne nous font pas,
Prennent droit de traiter les gens de haut en bas,
1300 Et veulent, sur le pied de nous être [1] fidèles,
Que nous soyons tenus à tout endurer d'elles :
Encore un coup compère, apprenez qu'en effet
Le cocuage n'est que ce que l'on le fait,
Qu'on peut le souhaiter pour de certaines causes,
1305 Et qu'il a ses plaisirs comme les autres choses.

ARNOLPHE

Si vous êtes d'humeur à vous en contenter,
Quant à moi ce n'est pas la mienne d'en tâter ;
Et plutôt que subir une telle aventure*...

CHRYSALDE

Mon Dieu ne jurez point de peur d'être parjure ;
1310 Si le sort l'a réglé, vos soins sont superflus,
Et l'on ne prendra pas votre avis là-dessus.

ARNOLPHE

Moi ! je serais cocu ?

---

1. Sous le prétexte qu'elles nous sont.

CHRYSALDE

Vous voilà bien malade,
Mille gens le sont bien, sans vous faire bravade ;
Qui de mine, de cœur, de biens et de maison,
315 Ne feraient avec vous nulle comparaison.

ARNOLPHE

Et moi je n'en voudrais avec eux faire aucune :
Mais cette raillerie en un mot m'importune :
Brisons là, s'il vous plaît.

CHRYSALDE

Vous êtes en courroux,
Nous en saurons la cause. Adieu : souvenez-vous,
320 Quoi que sur ce sujet votre honneur vous inspire,
Que c'est être à demi ce que l'on vient de dire,
Que de vouloir jurer qu'on ne le sera pas.

ARNOLPHE

Moi ! je le jure encore, et je vais de ce pas,
Contre cet accident* trouver un bon remède.

Scène 9

ALAIN, GEORGETTE, ARNOLPHE

ARNOLPHE

325 Mes amis, c'est ici que j'implore votre aide,
Je suis édifié de votre affection ;
Mais il faut qu'elle éclate* en cette occasion :
Et si vous m'y servez selon ma confiance,
Vous êtes assurés de votre récompense.
330 L'homme que vous savez, n'en faites point de bruit,
Veut comme je l'ai su m'attraper cette nuit,
Dans la chambre d'Agnès entrer par escalade,
Mais il lui faut nous trois dresser une embuscade :
Je veux que vous preniez chacun un bon bâton,

1335 Et quand il sera près du dernier échelon ;
Car dans le temps qu'il faut j'ouvrirai la fenêtre,
Que tous deux à l'envi vous me chargiez ce traître :
Mais d'un air dont son dos garde le souvenir,
Et qui lui puisse apprendre à n'y plus revenir,
1340 Sans me montrer pourtant en aucune manière,
Ni faire aucun semblant* que je serai derrière.
Aurez-vous bien l'esprit de servir mon courroux ?

ALAIN

S'il ne tient qu'à frapper, Monsieur, tout est à nous.
Vous verrez, quand je bats, si j'y vais de main morte.

GEORGETTE

1345 La mienne, quoique aux yeux, elle semble moins forte,
N'en quitte pas sa part [1] à le bien étriller.

ARNOLPHE

Rentrez donc, et surtout gardez de babiller ;
Voilà pour le prochain une leçon utile,
Et si tous les maris qui sont en cette ville,
1350 De leurs femmes ainsi recevaient le galant*,
Le nombre des cocus ne serait pas si grand.

Fin du quatrième acte.

---

1. Ne cède pas sa part.

ACTE V

Scène première
ALAIN, GEORGETTE, ARNOLPHE

ARNOLPHE

Traîtres, qu'avez-vous fait par cette violence ?

ALAIN

Nous vous avons rendu, Monsieur, obéissance.

ARNOLPHE

De cette excuse en vain vous voulez vous armer.
1355 L'ordre était de le battre, et non de l'assommer* ;
Et c'était sur le dos, et non pas sur la tête,
Que j'avais commandé qu'on fît choir la tempête.
Ciel ! dans quel accident* me jette ici le sort ?
Et que puis-je résoudre à voir cet homme mort ?
1360 Rentrez dans la maison ; et gardez de rien dire
De cet ordre innocent que j'ai pu vous prescrire.
Le jour s'en va paraître, et je vais consulter
Comment dans ce malheur je me dois comporter.
Hélas ! que deviendrai-je ? et que dira le père,
1365 Lorsque inopinément il saura cette affaire ?

Scène 2

HORACE, ARNOLPHE

HORACE

Il faut que j'aille un peu reconnaître qui c'est.

ARNOLPHE

Eût-on jamais prévu… Qui va là ? s'il vous plaît [1].

HORACE

C'est vous, Seigneur Arnolphe.

ARNOLPHE

Oui ; mais vous…

HORACE

C'est Horace.

Je m'en allais chez vous, vous prier d'une grâce.
1370 Vous sortez bien matin.

ARNOLPHE, *bas*

Quelle confusion !

Est-ce un enchantement ? est-ce une illusion ?

HORACE

J'étais, à dire vrai, dans une grande peine ;
Et je bénis du Ciel la bonté souveraine,
Qui fait qu'à point nommé je vous rencontre ainsi.
1375 Je viens vous avertir que tout a réussi,
Et même beaucoup plus que je n'eusse osé dire ;
Et par un incident qui devait [2] tout détruire.
Je ne sais point par où l'on a pu soupçonner
Cette assignation* qu'on m'avait su donner :
1380 Mais, étant sur le point d'atteindre à la fenêtre

---

1. Le début de l'acte V se déroule de nuit et les deux personnages ne se reconnaissent pas immédiatement.
2. Aurait dû.

J'ai, contre mon espoir, vu quelques gens paraître,
Qui, sur moi brusquement levant chacun le bras
M'ont fait manquer le pied et tomber jusqu'en bas ;
Et ma chute aux dépens de quelques meurtrissures,
385 De vingt coups de bâton m'a sauvé l'aventure.
Ces gens-là, dont était je pense mon jaloux,
Ont imputé ma chute à l'effort de leurs coups,
Et comme la douleur, un assez long espace [1],
M'a fait sans remuer demeurer sur la place,
390 Ils ont cru tout de bon qu'ils m'avaient assommé*,
Et chacun d'eux s'en est aussitôt alarmé.
J'entendais tout leur bruit dans le profond silence,
L'un l'autre ils s'accusaient de cette violence,
Et sans lumière aucune, en querellant le sort,
395 Sont venus doucement tâter si j'étais mort.
Je vous laisse à penser si dans la nuit obscure,
J'ai d'un vrai trépassé su tenir la figure.
Ils se sont retirés avec beaucoup d'effroi ;
Et comme je songeais à me retirer moi,
400 De cette feinte mort la jeune Agnès émue
Avec empressement est devers moi venue :
Car les discours qu'entre eux ces gens avaient tenus,
Jusques à son oreille étaient d'abord* venus,
Et pendant tout ce trouble étant moins observée,
405 Du logis aisément elle s'était sauvée.
Mais me trouvant sans mal, elle a fait éclater*
Un transport* difficile à bien représenter.
Que vous dirai-je ? enfin cette aimable* personne
A suivi les conseils que son amour lui donne,
410 N'a plus voulu songer à retourner chez soi,
Et de tout son destin s'est commise [2] à ma foi.
Considérez un peu par ce trait d'innocence
Où l'expose d'un fou la haute impertinence [3],

---

1. Un assez long moment.
2. Remise.
3. Ici : stupidité.

Et quels fâcheux périls elle pourrait courir,
1415 Si j'étais maintenant homme à la moins chérir.
Mais d'un trop pur amour mon âme est embrasée,
J'aimerais mieux mourir que l'avoir abusée.
Je lui vois des appas dignes d'un autre sort,
Et rien ne m'en saurait séparer que la mort.
1420 Je prévois là-dessus l'emportement d'un père :
Mais nous prendrons le temps d'apaiser sa colère.
À des charmes si doux je me laisse emporter,
Et dans la vie, enfin, il se faut contenter.
Ce que je veux de vous, sous un secret fidèle,
1425 C'est que je puisse mettre en vos mains cette belle,
Que dans votre maison, en faveur de mes feux,
Vous lui donniez retraite au moins un jour ou deux.
Outre qu'aux yeux du monde il faut cacher sa fuite,
Et qu'on en pourra faire une exacte poursuite ;
1430 Vous savez qu'une fille aussi de sa façon
Donne avec un jeune homme un étrange soupçon [1] ;
Et comme c'est à vous, sûr de votre prudence,
Que j'ai fait de mes feux entière confidence ;
C'est à vous seul aussi, comme ami généreux*,
1435 Que je puis confier ce dépôt amoureux.

ARNOLPHE

Je suis, n'en doutez point, tout à votre service.

HORACE

Vous voulez bien me rendre un si charmant office ?

ARNOLPHE

Très volontiers, vous dis-je, et je me sens ravir
De cette occasion que j'ai de vous servir.
1440 Je rends grâces au Ciel de ce qu'il me l'envoie,
Et n'ai jamais rien fait avec si grande joie.

---

1. Le soupçon d'un scandale.

HORACE

Que je suis redevable à toutes vos bontés !
J'avais de votre part craint des difficultés :
Mais vous êtes du monde, et dans votre sagesse
445 Vous savez excuser le feu de la jeunesse.
Un de mes gens la garde au coin de ce détour.

ARNOLPHE

Mais comment ferons-nous ; car il fait un peu jour ;
Si je la prends ici, l'on me verra, peut-être,
Et s'il faut que chez moi vous veniez à paraître,
450 Des valets causeront. Pour jouer au plus sûr,
Il faut me l'amener dans un lieu plus obscur.
Mon allée[1] est commode, et je l'y vais attendre.

HORACE

Ce sont précautions qu'il est fort bon de prendre.
Pour moi, je ne ferai que vous la mettre en main,
455 Et chez moi sans éclat je retourne soudain.

ARNOLPHE, *seul*.

Ah fortune ! ce trait d'aventure* propice,
Répare tous les maux que m'a faits ton caprice !

Scène 3
AGNÈS, HORACE, ARNOLPHE

HORACE[2]

Ne soyez point en peine, où je vais vous mener,
C'est un logement sûr que je vous fais donner.
460 Vous loger avec moi ce serait tout détruire,

---

1. Le chemin qui mène à mon logis.
2. Ajout de l'édition de 1682 : « *à Agnès* ».

Entrez dans cette porte, et laissez-vous conduire.

> *Arnolphe lui prend la main sans qu'elle*
> *le connaisse*.*

AGNÈS

Pourquoi me quittez-vous ?

HORACE

Chère Agnès, il le faut.

AGNÈS

Songez donc, je vous prie, à revenir bientôt*.

HORACE

J'en suis assez pressé par ma flamme amoureuse.

AGNÈS

1465 Quand je ne vous vois point, je ne suis point joyeuse.

HORACE

Hors de votre présence, on me voit triste aussi.

AGNÈS

Hélas ! s'il était vrai, vous resteriez ici.

HORACE

Quoi ! vous pourriez douter de mon amour extrême ?

AGNÈS

Non, vous ne m'aimez pas autant que je vous aime [1].
1470 Ah ! l'on me tire trop !

> *Arnolphe la tire.*

HORACE

C'est qu'il est dangereux,
Chère Agnès, qu'en ce lieu nous soyons vus tous deux.

---

1. Les accents élégiaques de ces adieux introduisent une rupture tonale assez nette ; sur un autre plan, ils témoignent en outre, après la lettre, de la transformation qui s'est opérée chez Agnès.

Et le parfait ami, de qui la main vous presse
Suit le zèle prudent* qui pour nous l'intéresse [1].

                    AGNÈS

Mais suivre un inconnu que...

                    HORACE

                              N'appréhendez rien :
475 Entre de telles mains vous ne serez que bien.

                    AGNÈS

Je me trouverais mieux entre celles d'Horace.
Et j'aurais...

               AGNÈS *à celui qui la tient.*
          Attendez.

                    HORACE
                    Adieu, le jour me chasse.

                    AGNÈS

Quand vous verrai-je donc ?

                    HORACE
                              Bientôt* assurément.

                    AGNÈS

Que je vais m'ennuyer* jusques à ce moment !

                    HORACE

480 Grâce au Ciel, mon bonheur n'est plus en concurrence,
Et je puis maintenant dormir en assurance.

---

1. Lui fait prendre part à nos intérêts.

AGNÈS

Non, il vous rendra tout jusques au dernier double.

ARNOLPHE

Elle a de certains mots où mon dépit redouble,
1550 Me rendra-t-il, coquine, avec tout son pouvoir
Les obligations que vous pouvez m'avoir ?

AGNÈS

Je ne vous en ai pas d'aussi grandes qu'on pense.

ARNOLPHE

N'est-ce rien que les soins d'élever votre enfance ?

AGNÈS

Vous avez là-dedans bien opéré vraiment,
1555 Et m'avez fait en tout instruire joliment,
Croit-on que je me flatte, et qu'enfin, dans ma tête,
Je ne juge pas bien que je suis une bête ?
Moi-même j'en ai honte, et dans l'âge où je suis
Je ne veux plus passer pour sotte, si je puis.

ARNOLPHE

1560 Vous fuyez l'ignorance, et voulez, quoi qu'il coûte,
Apprendre du blondin quelque chose.

AGNÈS

Sans doute*,
C'est de lui que je sais ce que je puis savoir,
Et beaucoup plus qu'à vous je pense lui devoir.

ARNOLPHE

Je ne sais qui [1] me tient qu'avec une gourmade [2]
1565 Ma main de ce discours ne venge la bravade.
J'enrage quand je vois sa piquante froideur,
Et quelques coups de poing satisferaient mon cœur.

---

1. Je ne sais ce qui.
2. Un coup de poing.

AGNÈS

Hélas, vous le pouvez, si cela peut vous plaire.

ARNOLPHE

Ce mot, et ce regard désarme ma colère,
570 Et produit un retour de tendresse de cœur,
Qui de son action m'efface la noirceur.
Chose étrange* ! d'aimer, et que pour ces traîtresses
Les hommes soient sujets à de telles faiblesses.
Tout le monde connaît leur imperfection.
575 Ce n'est qu'extravagance et qu'indiscrétion [1] ;
Leur esprit est méchant, et leur âme fragile ;
Il n'est rien de plus faible et de plus imbécile*,
Rien de plus infidèle, et malgré tout cela
Dans le monde on fait tout pour ces animaux-là [2].
580 Hé bien, faisons la paix, va, petite traîtresse,
Je te pardonne tout, et te rends ma tendresse ;
Considère par là l'amour que j'ai pour toi,
Et me voyant si bon, en revanche* aime-moi.

AGNÈS

Du meilleur de mon cœur, je voudrais vous complaire.
585 Que me coûterait-il, si je le pouvais faire ?

ARNOLPHE

Mon pauvre petit bec [3], tu le peux, si tu veux.
Écoute seulement ce soupir amoureux,

Il fait un soupir.

Vois ce regard mourant, contemple ma personne [4],
Et quitte ce morveux, et l'amour qu'il te donne ;
590 C'est quelque sort qu'il faut qu'il ait jeté sur toi,

---

1. Absence de jugement.
2. Sur ce passage, voir les commentaires de la précieuse dans *La Critique de l'École des femmes*, scène 6, p. 167.
3. Terme affectueux.
4. Sur le jeu de Molière dans cette scène, voir *La Critique de l'École des femmes*, scène 6, p. 177.

Et tu seras cent fois plus heureuse avec moi.
Ta forte passion est d'être brave et leste[1] :
Tu le seras toujours, va, je te le proteste* ;
Sans cesse nuit et jour, je te caresserai,
1595 Je te bouchonnerai, baiserai, mangerai ;
Tout comme tu voudras, tu pourras te conduire,
Je ne m'explique point, et cela c'est tout dire.

À part.

Jusqu'où la passion peut-elle faire aller !
Enfin à mon amour rien ne peut s'égaler ;
1600 Quelle preuve veux-tu que je t'en donne, ingrate ?
Me veux-tu voir pleurer ? Veux-tu que je me batte ?
Veux-tu que je m'arrache un côté de cheveux[2] ?
Veux-tu que je me tue ? oui, dis si tu le veux,
Je suis tout prêt, cruelle, à te prouver ma flamme*.

AGNÈS

1605 Tenez, tous vos discours ne me touchent point l'âme.
Horace avec deux mots en ferait plus que vous.

ARNOLPHE

Ah ! c'est trop me braver, trop pousser mon courroux ;
Je suivrai mon dessein, bête trop indocile,
Et vous dénicherez à l'instant de la Ville ;
1610 Vous rebutez mes vœux, et me mettez à bout ;
Mais un cul de convent[3] me vengera de tout.

---

1. Les deux adjectifs expriment l'élégance.
2. Nouveau jeu avec *La Mariane* de Tristan L'Hermite (« Laisse agir
ta douleur, mets tes mains en usage,/ Arrache tes cheveux, déchire ton
visage », V, 3, v. 1696-1697 ; voir Dossier, p. 230, et note 3, p. 95).
3. Ou couvent. L'expression « cul de couvent » désigne le lieu le
mieux gardé d'un couvent.

Scène 5

ALAIN, ARNOLPHE, AGNÈS

ALAIN

Je ne sais ce que c'est, Monsieur, mais il me semble
Qu'Agnès et le corps mort s'en sont allés ensemble.

ARNOLPHE

La voici ; dans ma chambre allez me la nicher.
615 Ce ne sera pas là qu'il la viendra chercher,
Et puis c'est seulement pour une demi-heure.
Je vais pour lui donner une sûre demeure
Trouver une voiture ; enfermez-vous des mieux,
Et surtout gardez-vous de la quitter des yeux :
620 Peut-être que son âme étant dépaysée
Pourra de cet amour être désabusée.

Scène 6

HORACE, ARNOLPHE

HORACE

Ah ! je viens vous trouver accablé de douleur,
Le Ciel, Seigneur Arnolphe, a conclu mon malheur,
Et par un trait fatal d'une injustice extrême,
625 On me veut arracher de la beauté que j'aime.
Pour arriver ici mon père a pris le frais [1],
J'ai trouvé qu'il mettait pied à terre ici près,
Et la cause en un mot d'une telle venue,

---

1. Il faut sans doute comprendre : a pris la route, « frais » renvoyant
soit au moment de la journée où la température est encore agréable (ce
qui signifierait que le père d'Horace a peu de route à faire) ou à un
vent favorable au départ (s'il vient de plus loin, voire par la mer, comme
peut l'indiquer le vers suivant).

ARNOLPHE, *se tournant vers Horace*.

Oui, c'est là le mystère,
1705 Et vous pouvez juger ce que je devais [1] faire.

HORACE

En quel trouble...

Scène 8
GEORGETTE, ENRIQUE, ORONTE, CHRYSALDE,
HORACE, ARNOLPHE

GEORGETTE

Monsieur, si vous n'êtes auprès,
Nous aurons de la peine à retenir Agnès,
Elle veut à tous coups s'échapper, et peut-être
Qu'elle se pourrait bien jeter par la fenêtre.

ARNOLPHE

1710 Faites-la-moi venir, aussi bien de ce pas
Prétends-je l'emmener, ne vous en fâchez pas,
Un bonheur continu rendrait l'homme superbe [2],
Et chacun a son tour, comme dit le proverbe.

HORACE

Quels maux peuvent, ô Ciel, égaler mes ennuis* ?
1715 Et s'est-on jamais vu dans l'abîme où je suis ?

ARNOLPHE, *à Oronte*.

Pressez vite le jour de la cérémonie,
J'y prends part, et déjà moi-même je m'en prie.

ORONTE

C'est bien notre dessein.

---

1. J'aurais dû.
2. Ici : orgueilleux.

Scène 9

AGNÈS, ALAIN, GEORGETTE, ORONTE, ENRIQUE, ARNOLPHE, HORACE, CHRYSALDE

ARNOLPHE

Venez, belle, venez,
Qu'on ne saurait tenir, et qui vous mutinez,
720 Voici votre galant*, à qui, pour récompense
Vous pouvez faire une humble et douce révérence,
Adieu ; l'événement [1] trompe un peu vos souhaits ;
Mais tous les amoureux ne sont pas satisfaits.

AGNÈS

Me laissez-vous, Horace, emmener de la sorte ?

HORACE

725 Je ne sais où j'en suis, tant ma douleur est forte.

ARNOLPHE

Allons, causeuse, allons.

AGNÈS

Je veux rester ici.

ORONTE

Dites-nous ce que c'est que ce mystère-ci,
Nous nous regardons tous sans le pouvoir comprendre.

ARNOLPHE

Avec plus de loisir je pourrai vous l'apprendre.
1730 Jusqu'au revoir.

ORONTE

Où donc prétendez-vous aller ?
Vous ne nous parlez point, comme il nous faut parler.

---

1. L'issue, le dénouement.

Ce que votre sagesse avait prémédité.
J'étais par les doux nœuds d'une ardeur mutuelle
Engagé de parole avecque cette belle ;
1770 Et c'est elle en un mot que vous venez chercher,
Et pour qui mon refus a pensé vous fâcher.

ENRIQUE

Je n'en ai point douté d'abord que* je l'ai vue,
Et mon âme depuis n'a cessé d'être émue.
Ah ! ma fille, je cède à des transports* si doux.

CHRYSALDE

1775 J'en ferais de bon cœur, mon frère, autant que vous.
Mais ces lieux et cela ne s'accommodent guères ;
Allons dans la maison débrouiller ces mystères,
Payer à notre ami ces soins officieux [1],
Et rendre grâce au Ciel qui fait tout pour le mieux.

Fin

---

1. Obligeants.

La Critique
de
l'École des femmes

Comédie

par J.-B. P. Molière

À Paris,
Chez Charles de Sercy, au Palais,
au sixième Pilier de la grande Salle,
vis-à-vis la montée de la Cour des Aides,
à la bonne Foi couronnée.

M. DC. LXIII

Avec privilège du roi

EXTRAIT DU PRIVILÈGE DU ROI

Par grâce et privilège du Roi, donné à Paris le 10 juin 1663, signé par le Roi en son Conseil, BOUCHARD. Il est permis à CHARLES DE SERCY marchand-libraire de notre bonne ville de Paris, de faire imprimer une pièce de théâtre, de la composition du Sieur de MOLIÈRE, intitulée *La Critique de l'École des femmes*, pendant le temps de sept années ; et défenses sont faites à toutes personnes de quelque qualité et condition qu'ils soient, d'imprimer, vendre ni débiter ladite comédie de *La Critique de l'École des femmes*, à peine de mille livres d'amende, et de tous dépens, dommages, et intérêts : comme il est plus amplement porté par lesdites lettres.

Et ledit DE SERCY a fait part du privilège ci-dessus, aux Sieurs JOLY, DE LUYNE, BILLAINE, LOYSON, GUIGNARD, BARBIN et QUINET, pour en jouir le temps porté par icelui.

Registré sur le livre de la communauté des marchands-libraires et imprimeurs, le 21 juillet 1663.

Signé MARTIN, Syndic.

Achevé d'imprimer pour la première fois le 7 août 1663.
Les exemplaires ont été fournis.

ÉLISE. – Je l'aime aussi ; mais je l'aime choisie, et la quantité des sottes visites qu'il vous faut essuyer parmi les autres, est cause bien souvent que je prends plaisir d'être seule.

URANIE. – La délicatesse est trop grande, de ne pouvoir souffrir* que des gens triés.

ÉLISE. – Et la complaisance est trop générale, de souffrir* indifféremment toutes sortes de personnes.

URANIE. – Je goûte ceux qui sont raisonnables, et me divertis des extravagants.

ÉLISE. – Ma foi, les extravagants ne vont guère loin sans vous ennuyer, et la plupart de ces gens-là ne sont plus plaisants dès la seconde visite. Mais à propos d'extravagants, ne voulez-vous pas me défaire de votre marquis incommode ? Pensez-vous me le laisser toujours sur les bras, et que je puisse durer à [1] ses turlupinades [2] perpétuelles ?

URANIE. – Ce langage est à la mode, et l'on le tourne en plaisanterie à la cour.

ÉLISE. – Tant pis pour ceux qui le font, et qui se tuent tout le jour à parler ce jargon obscur. La belle chose de faire entrer aux conversations du Louvre de vieilles équivoques ramassées parmi les boues des Halles et de la place Maubert [3] ! La jolie façon de plaisanter pour des courtisans ! et qu'un homme montre d'esprit lorsqu'il vient vous dire : « Madame, vous êtes dans la place Royale [4], et tout le monde vous voit de trois lieues de Paris, car chacun vous voit de bon œil », à cause que

---

1. Que je puisse supporter.
2. Mauvais jeux de mots. Le terme est dérivé de Turlupin, acteur comique mort en 1634.
3. Deux lieux populaires (et deux immenses marchés), qui contrastent avec la résidence parisienne de la cour.
4. Actuelle place des Vosges, lieu de promenade à la mode.

Boneuil est un village à trois lieues d'ici ! Cela n'est-il pas bien galant* et bien spirituel ? Et ceux qui trouvent ces belles rencontres [1], n'ont-ils pas lieu de s'en glorifier ?

URANIE. – On ne dit pas cela aussi, comme une chose spirituelle, et la plupart de ceux qui affectent ce langage, savent bien eux-mêmes qu'il est ridicule.

ÉLISE. – Tant pis encore, de prendre peine à dire des sottises, et d'être mauvais plaisants de dessein formé [2]. Je les en tiens moins excusables ; et, si j'en étais juge, je sais bien à quoi je condamnerais tous ces messieurs les turlupins [3].

URANIE. – Laissons cette matière, qui t'échauffe un peu trop, et disons que Dorante vient bien tard, à mon avis, pour le souper que nous devons faire ensemble.

ÉLISE. – Peut-être l'a-t-il oublié, et que…

Scène 2
GALOPIN, URANIE, ÉLISE

GALOPIN. – Voilà Climène, Madame, qui vient ici pour vous voir.

URANIE. – Eh mon Dieu ! quelle visite !

ÉLISE. – Vous vous plaigniez d'être seule, aussi : le Ciel vous en punit.

URANIE. – Vite, qu'on aille dire que je n'y suis pas.

GALOPIN. – On a déjà dit que vous y étiez.

URANIE. – Et qui est le sot qui l'a dit ?

1. Ces bons mots.
2. À dessein, délibérément.
3. Diseurs de « turlupinades ». Voir aussi note 2, p. 144.

GALOPIN. – Moi, Madame.

URANIE. – Diantre soit le petit vilain ! Je vous apprendrai bien à faire vos réponses de vous-même.

GALOPIN. – Je vais lui dire, Madame, que vous voulez être sortie.

URANIE. – Arrêtez, animal, et la laissez monter, puisque la sottise est faite.

GALOPIN. – Elle parle encore à un homme dans la rue.

URANIE. – Ah ! Cousine, que cette visite m'embarrasse* à l'heure qu'il est.

ÉLISE. – Il est vrai que la dame est un peu embarrassante de son naturel : j'ai toujours eu pour elle une furieuse aversion ; et, n'en déplaise à sa qualité* [1], c'est la plus sotte bête [2] qui se soit jamais mêlée de raisonner.

URANIE. – L'épithète est un peu forte.

ÉLISE. – Allez, allez, elle mérite bien cela, et quelque chose de plus, si on lui faisait justice. Est-ce qu'il y a une personne qui soit plus véritablement qu'elle, ce qu'on appelle précieuse, à prendre le mot dans sa plus mauvaise signification [3] ?

URANIE. – Elle se défend bien de ce nom, pourtant.

ÉLISE. – Il est vrai, elle se défend du nom ; mais non pas de la chose : car enfin elle l'est depuis les pieds jusqu'à la

---

1. Quoiqu'elle soit noble.
2. Comme « furieux » et ses dérivés ou « essuyer » (en emploi figuré), l'expression appartient au lexique mondain.
3. Précision importante, qui laisse entendre que, pour Molière comme pour ses contemporains, il existe aussi (d'abord ?) des précieuses non ridicules.

tête, et la plus grande façonnière [1] du monde. Il semble que tout son corps soit démonté, et que les mouvements de ses hanches, de ses épaules, et de sa tête, n'aillent que par ressorts. Elle affecte toujours un ton de voix languissant, et niais ; fait la moue, pour montrer une petite bouche, et roule les yeux, pour les faire paraître grands.

URANIE. – Doucement donc, si elle venait à entendre...

ÉLISE. – Point, point, elle ne monte pas encore. Je me souviens toujours du soir qu'elle eut envie de voir Damon, sur la réputation qu'on lui donne, et les choses que le public a vues de lui. Vous connaissez l'homme, et sa naturelle paresse à soutenir la conversation. Elle l'avait invité à souper, comme bel esprit, et jamais il ne parut si sot, parmi une demi-douzaine de gens, à qui elle avait fait fête de lui [2], et qui le regardaient avec de grands yeux, comme une personne qui ne devait pas être faite comme les autres. Ils pensaient tous qu'il était là pour défrayer [3] la compagnie de bons mots ; que chaque parole qui sortait de sa bouche devait être extraordinaire ; qu'il devait faire des *Impromptus* [4] sur tout ce qu'on disait, et ne demander à boire qu'avec une pointe [5]. Mais il les trompa fort par son silence ; et la dame fut aussi mal satisfaite de lui, que je le fus d'elle.

URANIE. – Tais-toi, je vais la recevoir à la porte de la chambre [6].

------

1. Qui fait des façons, voire des grimaces. On peut penser que le portrait physique qui suit fournit aussi des indications sur la façon dont la Du Parc interprétait le rôle (voir également l'extrait de *L'Impromptu de Versailles*, Dossier, p. 201).
2. À qui elle avait promis beaucoup de lui.
3. Régaler.
4. Pièce poétique faite sur-le-champ. Le terme et la pratique apparaissaient dans *Les Précieuses ridicules* (1659).
5. Un trait d'esprit.
6. La chambre à coucher où, installées sur leur lit, les femmes du monde recevaient leurs visiteurs.

ÉLISE. – Encore un mot. Je voudrais bien la voir mariée avec le marquis, dont nous avons parlé. Le bel assemblage que ce serait d'une précieuse et d'un turlupin !

URANIE. – Veux-tu te taire ; la voici [1].

Scène 3
CLIMÈNE, URANIE, ÉLISE, GALOPIN

URANIE. – Vraiment, c'est bien tard que…

CLIMÈNE. – Eh, de grâce, ma chère, faites-moi vite donner un siège.

URANIE. – Un fauteuil, promptement.

CLIMÈNE. – Ah mon Dieu !

URANIE. – Qu'est-ce donc ?

CLIMÈNE. – Je n'en puis plus.

URANIE. – Qu'avez-vous ?

CLIMÈNE. – Le cœur me manque.

URANIE. – Sont-ce vapeurs qui vous ont prise ?

CLIMÈNE. – Non.

URANIE. – Voulez-vous que l'on vous délace [2] ?

CLIMÈNE. – Mon Dieu non. Ah !

---

1. Molière reprendra l'idée de cette scène dans *Le Misanthrope* (III, 3), où Célimène brosse un rapide portrait d'Arsinoé tandis que cette dernière monte chez elle.
2. Pour pouvoir respirer plus aisément. Le « corps de jupe », ou la partie de l'habillement féminin qui couvrait le haut du corps, était serré par des lacets.

URANIE. – Quel est donc votre mal ? et depuis quand vous a-t-il pris ?

CLIMÈNE. – Il y a plus de trois heures, et je l'ai rapporté du Palais-Royal[1].

URANIE. – Comment ?

CLIMÈNE. – Je viens de voir, pour mes péchés, cette méchante* rhapsodie[2] de *L'École des femmes*. Je suis encore en défaillance du mal de cœur que cela m'a donné, et je pense que je n'en reviendrai de plus de quinze jours.

ÉLISE. – Voyez un peu, comme les maladies arrivent sans qu'on y songe.

URANIE. – Je ne sais pas de quel tempérament nous sommes ma cousine et moi ; mais nous fûmes avant-hier à la même pièce, et nous en revînmes toutes deux saines et gaillardes*.

CLIMÈNE. – Quoi, vous l'avez vue ?

URANIE. – Oui ; et écoutée d'un bout à l'autre.

CLIMÈNE. – Et vous n'en avez pas été jusques aux convulsions, ma chère ?

URANIE. – Je ne suis pas si délicate, Dieu merci ; et je trouve pour moi, que cette comédie serait plutôt capable de guérir les gens, que de les rendre malades.

CLIMÈNE. – Ah mon Dieu, que dites-vous là ! Cette proposition peut-elle être avancée par une personne, qui

---

1. La troupe de Molière y était installée depuis janvier 1661. Les représentations théâtrales avaient lieu l'après-midi (en « matinée »), comme dans toutes les salles de théâtre à l'époque.
2. Ouvrage composé de plusieurs autres. Le grief était également formulé par Donneau de Visé dans ses *Nouvelles nouvelles* (voir Dossier, p. 193-194).

ait du revenu en sens commun [1] ? Peut-on, impunément comme vous faites, rompre en visière à la raison ? Et dans le vrai de la chose, est-il un esprit si affamé de plaisanterie, qu'il puisse tâter des fadaises dont cette comédie est assaisonnée ? Pour moi, je vous avoue, que je n'ai pas trouvé le moindre grain de sel dans tout cela. Les enfants par l'oreille m'ont paru d'un goût détestable ; la tarte à la crème m'a affadi le cœur ; et j'ai pensé vomir au potage [2].

ÉLISE. – Mon Dieu ! que tout cela est dit élégamment. J'aurais cru que cette pièce était bonne ; mais Madame a une éloquence si persuasive, elle tourne les choses d'une manière si agréable, qu'il faut être de son sentiment, malgré qu'on en ait.

URANIE. – Pour moi, je n'ai pas tant de complaisance, et pour dire ma pensée, je tiens cette comédie une des plus plaisantes que l'auteur ait produites.

CLIMÈNE. – Ah ! vous me faites pitié, de parler ainsi ; et je ne saurais vous souffrir [3] cette obscurité de discernement. Peut-on, ayant de la vertu, trouver de l'agrément dans une pièce, qui tient sans cesse la pudeur en alarme, et salit à tous moments l'imagination ?

ÉLISE. – Les jolies façons de parler que voilà ! Que vous êtes, Madame, une rude joueuse en critique ; et que je plains le pauvre Molière de vous avoir pour ennemie !

CLIMÈNE. – Croyez-moi ma chère, corrigez de bonne foi votre jugement, et pour votre honneur, n'allez point dire par le monde que cette comédie vous ait plu.

---

1. Du bon sens à revendre. Formule réellement ou fictivement empruntée au langage des précieuses, tout comme « rompre en visière à la raison » plus loin, qui signifie « attaquer la raison de face ».
2. *L'École des femmes*, respectivement I, 1, v. 164 et v. 99 et II, 3, v. 432-436. Sur les équivoques sexuelles dans la pièce, voir la Présentation, p. 17-18.
3. Comprendre ici : je ne saurais tolérer chez vous.

URANIE. – Moi, je ne sais pas ce que vous y avez trouvé qui blesse la pudeur.

CLIMÈNE. – Hélas tout ; et je mets en fait [1], qu'une honnête femme ne la saurait voir, sans confusion* ; tant j'y ai découvert d'ordures*, et de saletés.

URANIE. – Il faut donc que pour les ordures*, vous ayez des lumières, que les autres n'ont pas : car pour moi, je n'y en ai point vu.

CLIMÈNE. – C'est que vous ne voulez pas y en avoir vu, assurément : car enfin toutes ces ordures*, Dieu merci, y sont à visage découvert. Elles n'ont pas la moindre enveloppe qui les couvre ; et les yeux les plus hardis sont effrayés de leur nudité.

ÉLISE. – Ah !

CLIMÈNE. – Hay, hay, hay.

URANIE. – Mais encore, s'il vous plaît, marquez-moi une de ces ordures* que vous dites.

CLIMÈNE. – Hélas ! est-il nécessaire de vous les marquer ?

URANIE. – Oui : je vous demande seulement un endroit, qui vous ait fort choquée.

CLIMÈNE. – En faut-il d'autre que la scène de cette Agnès, lorsqu'elle dit ce que l'on lui a pris [2] ?

URANIE. – Eh bien, que trouvez-vous là de sale ?

CLIMÈNE. – Ah !

URANIE. – De grâce ?

CLIMÈNE. – Fi.

---

1. Je déclare.
2. Il s'agit de la scène dite du *le* (II, 5, v. 571 *sq.*).

URANIE. – Mais encore ?

CLIMÈNE. – Je n'ai rien à vous dire.

URANIE. – Pour moi, je n'y entends point de mal.

CLIMÈNE. – Tant pis pour vous.

URANIE. – Tant mieux plutôt, ce me semble. Je regarde les choses du côté qu'on me les montre ; et ne les tourne point, pour y chercher ce qu'il ne faut pas voir.

CLIMÈNE. – L'honnêteté d'une femme…

URANIE. – L'honnêteté d'une femme n'est pas dans les grimaces. Il sied mal de vouloir être plus sage, que celles qui sont sages. L'affectation en cette matière est pire qu'en toute autre ; et je ne vois rien de si ridicule, que cette délicatesse d'honneur, qui prend tout en mauvaise part ; donne un sens criminel aux plus innocentes paroles ; et s'offense de l'ombre des choses. Croyez-moi, celles qui font tant de façons, n'en sont pas estimées plus femmes de bien. Au contraire, leur sévérité mystérieuse, et leurs grimaces affectées irritent la censure de tout le monde, contre les actions de leur vie. On est ravi de découvrir ce qu'il y peut avoir à redire ; et, pour tomber dans l'exemple, il y avait l'autre jour des femmes à cette comédie, vis-à-vis de la loge où nous étions, qui par les mines qu'elles affectèrent durant toute la pièce ; leurs détournements de tête ; et leurs cachements de visage, firent dire de tous côtés cent sottises de leur conduite, que l'on n'aurait pas dites sans cela ; et quelqu'un même des laquais cria tout haut, qu'elles étaient plus chastes des oreilles que de tout le reste du corps.

CLIMÈNE. – Enfin il faut être aveugle dans cette pièce, et ne pas faire semblant* d'y voir les choses.

URANIE. – Il ne faut pas y vouloir voir ce qui n'y est pas.

CLIMÈNE. – Ah ! je soutiens, encore un coup, que les saletés y crèvent les yeux.

URANIE. – Et moi, je ne demeure pas d'accord de cela.

CLIMÈNE. – Quoi la pudeur n'est pas visiblement blessée par ce que dit Agnès dans l'endroit dont nous parlons ?

URANIE. – Non vraiment. Elle ne dit pas un mot, qui de soi ne soit fort honnête ; et si vous voulez entendre dessous quelque autre chose, c'est vous qui faites l'ordure* [1], et non pas elle, puisqu'elle parle seulement d'un ruban qu'on lui a pris.

CLIMÈNE. – Ah ! ruban, tant qu'il vous plaira ; mais ce *le* où elle s'arrête, n'est pas mis pour des prunes [2]. Il vient sur ce *le* d'étranges* pensées. Ce *le* scandalise furieusement ; et quoi que vous puissiez dire, vous ne sauriez défendre l'insolence de ce *le*.

ÉLISE. – Il est vrai, ma cousine ; je suis pour Madame contre ce *le*. Ce *le* est insolent au dernier point. Et vous avez tort de défendre ce *le*.

CLIMÈNE. – Il a une obscénité qui n'est pas supportable.

ÉLISE. – Comment dites-vous ce mot-là, Madame ?

CLIMÈNE. – *Obscénité* [3], Madame.

---

1. Au-delà de la stratégie de défense (honni soit qui mal y pense…), référence implicite à un débat philosophique qui a cours depuis l'Antiquité : l'indécence se trouve-t-elle dans les mots eux-mêmes (Cicéron) ou uniquement dans les choses, comme le soutiennent les stoïciens et leurs émules modernes ?

2. L'expression se trouvait aussi dans la bouche d'Arnolphe (*L'École des femmes*, III, 4, v. 882).

3. Attesté depuis le milieu des années 1620 (*La Doctrine curieuse* du père Garasse), le terme est encore peu utilisé ; il deviendra, grâce à la *Critique*, un mot à la mode. Molière stigmatise ici un trait caractéristique de la préciosité mal comprise : la pédanterie.

GALOPIN. – Je lui dis que vous n'y êtes pas, Madame, et il ne veut pas laisser d'entrer [1].

URANIE. – Et pourquoi dire à Monsieur que je n'y suis pas ?

GALOPIN. – Vous me grondâtes l'autre jour, de lui avoir dit que vous y étiez.

URANIE. – Voyez cet insolent ! Je vous prie, Monsieur, de ne pas croire ce qu'il dit : c'est un petit écervelé, qui vous a pris pour un autre.

LE MARQUIS. – Je l'ai bien vu, Madame ; et sans votre respect, je lui aurais appris à connaître* les gens de qualité*.

ÉLISE. – Ma cousine vous est fort obligée de cette déférence.

URANIE. – Un siège donc, impertinent*.

GALOPIN. – N'en voilà-t-il pas un ?

URANIE. – Approchez-le.

> *Le petit laquais pousse le siège rudement.*

LE MARQUIS. – Votre petit laquais, Madame, a du mépris pour ma personne.

ÉLISE. – Il aurait tort, sans doute*.

LE MARQUIS. – C'est peut-être que je paye l'intérêt de ma mauvaise mine [2] : hay, hay, hay, hay.

ÉLISE. – L'âge le rendra plus éclairé en honnêtes gens.

---

1. Et il s'obstine à vouloir entrer.
2. Première turlupinade du marquis, qui combine une expression attestée (« payer de mine », soit avoir une apparence qui prévient en sa faveur) et un bon mot rapporté par Plutarque (repris par Furetière dans son *Dictionnaire*) : pris pour un valet, le général Philopœmen avait déclaré à l'ami qui l'avait invité : « je porte la peine de ma mauvaise mine ».

LE MARQUIS. – Sur quoi en étiez-vous, Mesdames, lorsque je vous ai interrompues ?

URANIE. – Sur la comédie de *L'École des femmes*.

LE MARQUIS. – Je ne fais que d'en sortir.

CLIMÈNE. – Eh bien, Monsieur, comment la trouvez-vous, s'il vous plaît ?

LE MARQUIS. – Tout à fait impertinente*.

CLIMÈNE. – Ah que j'en suis ravie !

LE MARQUIS. – C'est la plus méchante* chose du monde. Comment, diable ! à peine ai-je pu trouver place. J'ai pensé être étouffé à la porte ; et jamais on ne m'a tant marché sur les pieds. Voyez comme* mes canons*, et mes rubans en sont ajustés, de grâce.

ÉLISE. – Il est vrai que cela crie vengeance contre *L'École des femmes*, et que vous la condamnez avec justice.

LE MARQUIS. – Il ne s'est jamais fait, je pense, une si méchante* comédie.

URANIE. – Ah ! voici Dorante que nous attendions.

Scène 5
DORANTE, LE MARQUIS, CLIMÈNE, ÉLISE, URANIE

DORANTE. – Ne bougez, de grâce, et n'interrompez point votre discours. Vous êtes là sur une matière, qui depuis quatre jours, fait presque l'entretien de toutes les maisons de Paris ; et jamais on n'a rien vu de si plaisant, que la diversité des jugements, qui se font là-dessus. Car enfin, j'ai ouï condamner cette comédie à certaines gens, par les mêmes choses, que j'ai vu d'autres estimer le plus.

URANIE. – Voilà Monsieur le Marquis, qui en dit force mal.

LE MARQUIS. – Il est vrai, je la trouve détestable ; morbleu détestable du dernier détestable ; ce qu'on appelle détestable.

DORANTE. – Et moi, mon cher Marquis, je trouve le jugement détestable.

LE MARQUIS. – Quoi Chevalier, est-ce que tu prétends soutenir cette pièce ?

DORANTE. – Oui je prétends la soutenir.

LE MARQUIS. – Parbleu, je la garantis détestable.

DORANTE. – La caution n'est pas bourgeoise[1]. Mais, Marquis, par quelle raison, de grâce, cette comédie est-elle ce que tu dis ?

LE MARQUIS. – Pourquoi elle est détestable ?

DORANTE. – Oui.

LE MARQUIS. – Elle est détestable, parce qu'elle est détestable.

DORANTE. – Après cela, il n'y aura plus rien à dire : voilà son procès fait. Mais encore instruis-nous, et nous dis les défauts qui y sont.

LE MARQUIS. – Que sais-je moi ? je ne me suis pas seulement donné la peine de l'écouter. Mais enfin je sais bien que je n'ai jamais rien vu de si méchant*, Dieu me damne ; et Dorilas, contre qui[2] j'étais a été de mon avis.

---

1. Dans le vocabulaire du commerce, une « caution bourgeoise » est une garantie fiable, parce que versée par un homme solvable, c'est-à-dire un bourgeois (ce que, par définition, le Marquis n'est pas).

2. À côté de qui.

DORANTE. – L'autorité est belle, et te voilà bien appuyé.

LE MARQUIS. – Il ne faut que voir les continuels éclats de rire que le parterre [1] y fait : je ne veux point d'autre chose, pour témoigner qu'elle ne vaut rien.

DORANTE. – Tu es donc, Marquis, de ces messieurs du bel air [2], qui ne veulent pas que le parterre ait du sens commun, et qui seraient fâchés d'avoir ri avec lui, fût-ce de la meilleure chose du monde ? Je vis l'autre jour sur le théâtre [3] un de nos amis, qui se rendit ridicule par là. Il écouta toute la pièce avec un sérieux le plus sombre du monde : et tout ce qui égayait les autres ridait son front. À tous les éclats de risée, il haussait les épaules, et regardait le parterre en pitié ; et quelquefois aussi le regardant avec dépit, il lui disait tout haut : « Ris donc, parterre, ris donc. » Ce fut une seconde comédie, que le chagrin* de notre ami ; il la donna en galant* homme à toute l'assemblée ; et chacun demeura d'accord qu'on ne pouvait pas mieux jouer, qu'il fit. Apprends, Marquis, je te prie, et les autres aussi, que le bon sens n'a point de place déterminée à la comédie ; que la différence du demi-louis d'or, et de la pièce de quinze sols [4] ne fait rien du tout au bon goût ; que debout et assis, on peut donner un mauvais jugement ; et qu'enfin, à le prendre en général, je me fierais assez à l'approbation du parterre, par la raison qu'entre ceux qui le composent, il y en a plusieurs qui sont capables de juger d'une pièce selon les règles, et

---

1. Partie de la salle située devant la scène et dépourvue de sièges ; par métonymie les spectateurs, issus essentiellement de la bourgeoisie marchande, qui y sont installés.
2. Expression à la mode, ici dotée d'une connotation dépréciative.
3. Sur la scène même, où des sièges étaient disposés sur les côtés. L'usage datait de la fin des années 1630 et ne sera aboli qu'en 1759.
4. C'est la différence entre une place au parterre et une place sur scène. L'écart est significatif : un demi-louis équivaut à 5 livres et demi (environ 20 euros) et quinze sols à 0,75 livre (un peu plus de 2,50 euros).

que les autres en jugent par la bonne façon d'en juger,
qui est de se laisser prendre aux choses, et de n'avoir ni
prévention aveugle, ni complaisance affectée, ni délicatesse ridicule.

LE MARQUIS. – Te voilà donc, Chevalier, le défenseur
du parterre ? Parbleu, je m'en réjouis, et je ne manquerai
pas de l'avertir, que tu es de ses amis. Hay, hay, hay, hay,
hay, hay.

DORANTE. – Ris tant que tu voudras ; je suis pour le
bon sens, et ne saurais souffrir* les ébullitions de cerveau
de nos marquis de Mascarille[1]. J'enrage de voir de ces
gens qui se traduisent en ridicules, malgré leur qualité* ;
de ces gens qui décident toujours, et parlent hardiment
de toutes choses, sans s'y connaître ; qui dans une comédie se récrieront aux méchants* endroits, et ne branleront
pas à ceux qui sont bons ; qui voyant un tableau, ou
écoutant un concert de musique, blâment de même, et
louent tout à contresens, prennent par où ils peuvent les
termes de l'art qu'ils attrapent, et ne manquent jamais de
les estropier, et de les mettre hors de place. Eh ! Morbleu,
Messieurs, taisez-vous, quand Dieu ne vous a pas donné
la connaissance d'une chose ; n'apprêtez point à rire à
ceux qui vous entendent parler ; et songez qu'en ne
disant mot, on croira, peut-être, que vous êtes
d'habiles* gens.

LE MARQUIS. – Parbleu, Chevalier, tu le prends là...

DORANTE. – Mon Dieu Marquis, ce n'est pas à toi que
je parle. C'est à une douzaine de messieurs qui désho-
norent les gens de cour par leurs manières extravagantes,
et font croire parmi le peuple[2] que nous nous ressem-
blons tous. Pour moi je m'en veux justifier, le plus qu'il

---

1. Personnage des *Précieuses ridicules* et, par extension, petit marquis ridicule (comme l'est celui de la pièce).
2. Et font croire aux gens.

me sera possible ; et je les dauberai* tant, en toutes rencontres, qu'à la fin ils se rendront sages.

Le Marquis. – Dis-moi, un peu, Chevalier, crois-tu que Lysandre ait de l'esprit ?

Dorante. – Oui, sans doute*, et beaucoup.

Uranie. – C'est une chose qu'on ne peut pas nier.

Le Marquis. – Demandez-lui ce qui lui semble de *L'École des femmes* : vous verrez qu'il vous dira, qu'elle ne lui plaît pas.

Dorante. – Eh mon Dieu ! il y en a beaucoup que le trop d'esprit gâte ; qui voient mal les choses à force de lumière ; et même qui seraient bien fâchés d'être de l'avis des autres, pour avoir la gloire* de décider.

Uranie. – Il est vrai ; notre ami est de ces gens-là, sans doute*. Il veut être le premier de son opinion, et qu'on attende par respect son jugement. Toute approbation qui marche avant la sienne est un attentat sur ses lumières, dont il se venge hautement en prenant le contraire parti. Il veut qu'on le consulte sur toutes les affaires d'esprit ; et je suis sûre que si l'auteur lui eût montré sa comédie, avant que de la faire voir au public, il l'eût trouvée la plus belle du monde.

Le Marquis. – Et que direz-vous de la marquise Araminte, qui la publie* partout pour épouvantable, et dit qu'elle n'a pu jamais souffrir* les ordures* dont elle est pleine ?

Dorante. – Je dirai que cela est digne du caractère qu'elle a pris ; et qu'il y a des personnes, qui se rendent ridicules, pour vouloir avoir trop d'honneur. Bien qu'elle ait de l'esprit, elle a suivi le mauvais exemple de celles, qui étant sur le retour de l'âge, veulent remplacer de quelque chose ce qu'elles voient qu'elles perdent ; et prétendent que les grimaces d'une pruderie scrupuleuse, leur tiendront lieu de jeunesse et de beauté. Celle-ci pousse l'affaire plus avant qu'aucune, et l'habileté de son scrupule découvre des saletés, où jamais personne n'en avait vu [1]. On tient qu'il va, ce scrupule, jusques à défigurer notre langue, et qu'il n'y a point presque de mots, dont la sévérité de cette dame ne veuille retrancher ou la tête, ou la queue, pour les syllabes déshonnêtes qu'elle y trouve [2].

URANIE. – Vous êtes bien fou, Chevalier.

LE MARQUIS. – Enfin, Chevalier, tu crois défendre ta comédie, en faisant la satire de ceux qui la condamnent.

DORANTE. – Non pas ; mais je tiens que cette dame se scandalise à tort…

ÉLISE. – Tout beau, Monsieur le Chevalier : il pourrait y en avoir d'autres qu'elle, qui seraient dans les mêmes sentiments.

DORANTE. – Je sais bien que ce n'est pas vous, au moins ; et que lorsque vous avez vu cette représentation…

ÉLISE. – Il est vrai, mais j'ai changé d'avis, et Madame sait appuyer le sien, par des raisons si convaincantes, qu'elle m'a entraînée de son côté.

DORANTE. – Ah ! Madame, je vous demande pardon ; et si vous le voulez, je me dédirai, pour l'amour de vous, de tout ce que j'ai dit.

CLIMÈNE. – Je ne veux pas que ce soit pour l'amour de moi ; mais pour l'amour de la raison : car enfin cette

---

1. Araminte est une première esquisse de l'Arsinoé du *Misanthrope* ; le double portrait qu'en donnera Célimène (III, 3 et 4) développera l'ensemble de ces traits.
2. Le projet de retranchement des syllabes « sales » ou déshonnêtes (*vi, con*, etc.) est également évoqué dans *Les Femmes savantes* (III, 2) comme l'un des travers propres aux précieuses.

pièce, à le bien prendre, est tout à fait indéfendable ; et je ne conçois pas...

URANIE. – Ah ! voici l'auteur, Monsieur Lysidas [1] : il vient tout à propos, pour cette matière. Monsieur Lysidas ; prenez un siège vous-même, et vous mettez là.

Scène 6
LYSIDAS, DORANTE, LE MARQUIS, ÉLISE, URANIE, CLIMÈNE

LYSIDAS. – Madame ; je viens un peu tard ; mais il m'a fallu lire ma pièce chez Madame la Marquise, dont je vous avais parlé [2] ; et les louanges, qui lui ont été données, m'ont retenu une heure plus que je ne croyais.

ÉLISE. – C'est un grand charme que les louanges pour arrêter [3] un auteur.

URANIE. – Asseyez-vous donc, Monsieur Lysidas ; nous lirons votre pièce après souper.

LYSIDAS. – Tous ceux qui étaient là, doivent venir à sa première représentation, et m'ont promis de faire leur devoir comme il faut [4].

---

1. Certains contemporains ont reconnu derrière ce personnage l'abbé d'Aubignac, auteur de l'un des plus importants traités de théorie dramatique du moment, *La Pratique du théâtre*. Lysidas est surtout une figure qui combine les traits de l'auteur et ceux du pédant.
2. Référence à une pratique courante : celle de la lecture, avant leur création ou leur publication, des œuvres littéraires et notamment dramatiques devant un cercle choisi.
3. Retenir.
4. C'est-à-dire de soutenir ostensiblement la pièce en faisant la claque. C'est l'une des formes que peut prendre le « trafic de réputation » évoqué plus loin par Dorante.

URANIE. – Je le crois : mais, encore une fois asseyez-vous, s'il vous plaît : nous sommes ici sur une matière que je serai bien aise que nous poussions.

LYSIDAS. – Je pense, Madame, que vous retiendrez aussi une loge pour ce jour-là.

URANIE. – Nous verrons. Poursuivons, de grâce, notre discours.

LYSIDAS. – Je vous donne avis, Madame, qu'elles sont presque toutes retenues.

URANIE. – Voilà qui est bien. Enfin j'avais besoin de vous, lorsque vous êtes venu, et tout le monde était ici contre moi.

ÉLISE. – Il s'est mis d'abord de votre côté, mais maintenant qu'il sait que Madame est à la tête du parti contraire, je pense que vous n'avez qu'à chercher un autre secours.

CLIMÈNE. – Non, non, je ne voudrais pas qu'il fît mal sa cour auprès de Madame votre cousine, et je permets à son esprit d'être du parti de son cœur.

DORANTE. – Avec cette permission, Madame, je prendrai la hardiesse de me défendre.

URANIE. – Mais auparavant sachons un peu les sentiments de Monsieur Lysidas.

LYSIDAS. – Sur quoi, Madame ?

URANIE. – Sur le sujet de *L'École des femmes.*

LYSIDAS. – Ha, ha.

DORANTE. – Que vous en semble ?

LYSIDAS. – Je n'ai rien à dire là-dessus ; et vous savez qu'entre nous autres auteurs, nous devons parler des

ouvrages les uns des autres, avec beaucoup de circon-
spection.

DORANTE. – Mais encore, entre nous, que pensez-vous
de cette comédie ?

LYSIDAS. – Moi, Monsieur ?

URANIE. – De bonne foi dites-nous votre avis.

LYSIDAS. – Je la trouve fort belle.

DORANTE. – Assurément ?

LYSIDAS. – Assurément ; pourquoi non ? N'est-elle pas
en effet la plus belle du monde ?

DORANTE. – Hom, hom, vous êtes un méchant diable,
Monsieur Lysidas ; vous ne dites pas ce que vous pensez.

LYSIDAS. – Pardonnez-moi.

DORANTE. – Mon Dieu, je vous connais ; ne dissimu-
lons point.

LYSIDAS. – Moi Monsieur ?

DORANTE. – Je vois bien que le bien que vous dites de
cette pièce n'est que par honnêteté* ; et que dans le fond
du cœur, vous êtes de l'avis de beaucoup de gens, qui la
trouvent mauvaise.

LYSIDAS. – Hay, hay, hay.

DORANTE. – Avouez, ma foi, que c'est une méchante*
chose que cette comédie.

LYSIDAS. – Il est vrai qu'elle n'est pas approuvée par
les connaisseurs.

LE MARQUIS. – Ma foi, Chevalier, tu en tiens [1], et te
voilà payé de ta raillerie, ah, ah, ah, ah, ah !

---

1. Tu as perdu.

DORANTE. – Pousse, mon cher Marquis, pousse.

LE MARQUIS. – Tu vois que nous avons les savants de notre côté.

DORANTE. – Il est vrai, le jugement de Monsieur Lysidas est quelque chose de considérable ; mais Monsieur Lysidas veut bien que je ne me rende pas pour cela. Et puisque j'ai bien l'audace de me défendre contre les sentiments de Madame, il ne trouvera pas mauvais que je combatte les siens.

ÉLISE. – Quoi vous voyez contre vous Madame, Monsieur le Marquis, et Monsieur Lysidas, et vous osez résister encore ? Fi que cela est de mauvaise grâce !

CLIMÈNE. – Voilà qui me confond*, pour moi, que des personnes raisonnables se puissent mettre en tête de donner protection aux sottises de cette pièce !

LE MARQUIS. – Dieu me damne, Madame, elle est misérable depuis le commencement jusqu'à la fin.

DORANTE. – Cela est bientôt* dit, Marquis ; il n'est rien plus aisé que de trancher ainsi, et je ne vois aucune chose, qui puisse être à couvert de [1] la souveraineté de tes décisions.

LE MARQUIS. – Parbleu, tous les autres comédiens [2] qui étaient là pour la voir, en ont dit tous les maux du monde.

DORANTE. – Ah ! je ne dis plus mot, tu as raison Marquis ; puisque les autres comédiens en disent du mal, il faut les en croire assurément. Ce sont tous gens éclairés, et qui parlent sans intérêt, il n'y a plus rien à dire, je me rends.

---

1. Qui puisse être épargné par.
2. Les comédiens rivaux de la Troupe royale (Hôtel de Bourgogne).

CLIMÈNE. – Rendez-vous, ou ne vous rendez pas, je sais fort bien que vous ne me persuaderez point de souffrir* les immodesties de cette pièce ; non plus que les satires désobligeantes qu'on y voit contre les femmes.

URANIE. – Pour moi, je me garderai bien de m'en offenser, et de prendre rien sur mon compte de tout ce qui s'y dit. Ces sortes de satires tombent directement sur les mœurs, et ne frappent les personnes que par réflexion. N'allons point nous appliquer nous-mêmes les traits d'une censure générale ; et profitons de la leçon, si nous pouvons, sans faire semblant* qu'on parle à nous. Toutes les peintures ridicules qu'on expose sur les théâtres doivent être regardées sans chagrin* de tout le monde. Ce sont miroirs publics où il ne faut jamais témoigner qu'on se voie ; et c'est se taxer hautement d'un défaut, que se scandaliser qu'on le reprenne.

CLIMÈNE. – Pour moi, je ne parle pas de ces choses, par la part que j'y puisse avoir ; et je pense que je vis d'un air dans le monde, à ne pas craindre d'être cherchée dans les peintures qu'on fait là des femmes qui se gouvernent mal.

ÉLISE. – Assurément, Madame, on ne vous y cherchera point ; votre conduite est assez connue ; et ce sont de ces sortes de choses qui ne sont contestées de personne.

URANIE. – Aussi, Madame, n'ai-je rien dit qui aille à vous ; et mes paroles, comme les satires de la comédie, demeurent dans la thèse générale.

CLIMÈNE. – Je n'en doute pas, Madame. Mais enfin passons sur ce chapitre. Je ne sais pas de quelle façon vous recevez les injures qu'on dit à notre sexe dans un certain endroit de la pièce ; et pour moi, je vous avoue que je suis dans une colère épouvantable, de voir que cet auteur impertinent* nous appelle des *animaux* [1].

---

1. *L'École des femmes*, V, 4, v. 1579.

URANIE. – Ne voyez-vous pas que c'est un ridicule qu'il fait parler ?

DORANTE. – Et puis, Madame, ne savez-vous pas que les injures des amants n'offensent jamais ? qu'il est des amours emportés aussi bien que des doucereux ? et qu'en de pareilles occasions les paroles les plus étranges*, et quelque chose de pis encore, se prennent bien souvent pour des marques d'affection par celles mêmes qui les reçoivent ?

ÉLISE. – Dites tout ce que vous voudrez, je ne saurais digérer cela, non plus que *le potage*, et *la tarte à la crème*, dont Madame a parlé tantôt.

LE MARQUIS. – Ah ! ma foi, oui, *tarte à la crème*. Voilà ce que j'avais remarqué tantôt ; *tarte à la crème*. Que je vous suis obligé, Madame, de m'avoir fait souvenir de *tarte à la crème*. Y a-t-il assez de pommes en Normandie [1] pour *tarte à la crème* ? *Tarte à la crème*, morbleu, *tarte à la crème* !

DORANTE. – Eh bien que veux-tu dire, *tarte à la crème* ?

LE MARQUIS. – Parbleu, *tarte à la crème*, Chevalier.

DORANTE. – Mais encore ?

LE MARQUIS. – *Tarte à la crème*.

DORANTE. – Dis-nous un peu tes raisons.

LE MARQUIS. – *Tarte à la crème*.

URANIE. – Mais il faut expliquer sa pensée, ce me semble.

LE MARQUIS. – *Tarte à la crème*, Madame.

---

1. Nouvelle plaisanterie du Marquis, fondée sur une pratique attestée : les pommes cuites faisaient partie des friandises qu'on vendait dans les théâtres ; elles pouvaient aussi être lancées sur les acteurs...

URANIE. – Que trouvez-vous là à redire ?

LE MARQUIS. – Moi, rien ; *tarte à la crème*.

URANIE. – Ah ! je le quitte [1] !

ÉLISE. – Monsieur le Marquis s'y prend bien, et vous bourre [2] de la belle manière. Mais je voudrais bien que Monsieur Lysidas voulût les achever, et leur donner quelques petits coups de sa façon.

LYSIDAS. – Ce n'est pas ma coutume de rien blâmer, et je suis assez indulgent pour les ouvrages des autres. Mais enfin, sans choquer l'amitié que Monsieur le Chevalier témoigne pour l'auteur, on m'avouera que ces sortes de comédies ne sont pas proprement des comédies [3], et qu'il y a une grande différence de toutes ces bagatelles* [4], à la beauté des pièces sérieuses. Cependant tout le monde donne là-dedans aujourd'hui ; on ne court plus qu'à cela ; et l'on voit une solitude effroyable aux grands ouvrages, lorsque des sottises ont tout Paris. Je vous avoue que le cœur m'en saigne quelquefois, et cela est honteux pour la France.

CLIMÈNE. – Il est vrai que le goût des gens est étrangement* gâté là-dessus, et que le siècle s'encanaille [5] furieusement.

ÉLISE. – Celui-là est joli encore, *s'encanaille*. Est-ce vous qui l'avez inventé, Madame ?

---

1. J'abandonne la partie.
2. Frappe, attaque (terme d'escrime).
3. Jeu sur les deux sens du mot « comédie » à l'époque : pièce comique (opposée en ce sens à « pièces sérieuses » ou « grands ouvrages ») ; pièce de théâtre en général.
4. Le terme « bagatelle » avait été employé par Thomas Corneille à propos des *Précieuses ridicules* en 1659. C'était aussi un mot à la mode et utilisé à ce titre par le Marquis un peu plus loin.
5. Se dévergonde. Le verbe « s'encanailler » figurait parmi les expressions propres aux précieuses dans le *Grand Dictionnaire des précieuses* de Somaize (1661).

CLIMÈNE. – Hé !

ÉLISE. – Je m'en suis bien doutée.

DORANTE. – Vous croyez donc, Monsieur Lysidas, que tout l'esprit et toute la beauté sont dans les poèmes sérieux, et que les pièces comiques sont des niaiseries qui ne méritent aucune louange ?

URANIE. – Ce n'est pas mon sentiment, pour moi. La tragédie, sans doute*, est quelque chose de beau quand elle est bien touchée[1] ; mais la comédie a ses charmes, et je tiens que l'une n'est pas moins difficile à faire que l'autre[2].

DORANTE. – Assurément, Madame, et quand pour la difficulté vous mettriez un plus du côté de la comédie, peut-être que vous ne vous abuseriez pas. Car enfin, je trouve qu'il est bien plus aisé de se guinder sur de grands sentiments, de braver en vers la Fortune, accuser les destins, et dire des injures aux dieux, que d'entrer comme il faut dans le ridicule des hommes, et de rendre agréablement sur le théâtre des défauts de tout le monde. Lorsque vous peignez des héros, vous faites ce que vous voulez ; ce sont des portraits à plaisir, où l'on ne cherche point de ressemblance ; et vous n'avez qu'à suivre les traits d'une imagination qui se donne l'essor, et qui souvent laisse le vrai pour attraper le merveilleux. Mais lorsque vous peignez les hommes, il faut peindre d'après nature ; on veut que ces portraits ressemblent ; et vous n'avez rien fait si vous n'y faites reconnaître les gens de votre siècle. En un mot, dans les pièces sérieuses, il suffit, pour n'être point blâmé, de dire des choses qui soient de bon sens, et bien écrites : mais ce n'est pas assez dans les autres ; il y faut

---

1. Quand elle est réussie.
2. Sur la comparaison entre la comédie et la tragédie dans ce passage, voir Présentation, p. 26 et Dossier, p. 229-231.

plaisanter ; et c'est une étrange [1] entreprise que celle de faire rire les honnêtes gens.

CLIMÈNE. – Je crois être du nombre des honnêtes gens, et cependant je n'ai pas trouvé le mot pour rire dans tout ce que j'ai vu.

LE MARQUIS. – Ma foi, ni moi non plus.

DORANTE. – Pour toi, Marquis, je ne m'en étonne pas ; c'est que tu n'y as point trouvé de turlupinades [2].

LYSIDAS. – Ma foi, Monsieur, ce qu'on y rencontre ne vaut guère mieux, et toutes les plaisanteries y sont assez froides*, à mon avis.

DORANTE. – La cour n'a pas trouvé cela.

LYSIDAS. – Ah ! Monsieur, la cour !

DORANTE. – Achevez, Monsieur Lysidas. Je vois bien que vous voulez dire que la cour ne se connaît pas à ces choses ; et c'est le refuge ordinaire de vous autres Messieurs les auteurs, dans le mauvais succès de vos ouvrages, que d'accuser l'injustice du siècle, et le peu de lumière des courtisans. Sachez, s'il vous plaît, Monsieur Lysidas, que les courtisans ont d'aussi bons yeux que d'autres ; qu'on peut être habile* avec un point de Venise, et des plumes [3], aussi bien qu'avec une perruque courte, et un petit rabat uni : que la grande épreuve de toutes vos comédies, c'est le jugement de la cour ; que c'est son goût qu'il faut étudier pour trouver l'art de réussir ; qu'il n'y a point de lieu où les décisions soient si justes ; et

---

1. Ici : extraordinairement difficile.
2. Voir note 2, p. 144.
3. La dentelle au point de Venise (interdite par l'édit royal de novembre 1660) et les plumes étaient utilisées pour orner les vêtements les plus luxueux. Dorante les oppose à la tenue (« perruque courte » et « petit rabat uni ») que portaient les bourgeois et probablement un poète comme Lysidas.

sans mettre en ligne de compte tous les gens savants qui y sont, que, du simple bon sens naturel et du commerce de tout le beau monde, on s'y fait une manière d'esprit, qui, sans comparaison, juge plus finement des choses, que tout le savoir enrouillé des pédants.

URANIE. – Il est vrai que, pour peu qu'on y demeure, il vous passe là tous les jours assez de choses devant les yeux, pour acquérir quelque habitude de les connaître, et surtout pour ce qui est de la bonne et mauvaise plaisanterie.

DORANTE. – La cour a quelques ridicules, j'en demeure d'accord, et je suis, comme on voit, le premier à les fronder*. Mais, ma foi, il y en a un grand nombre parmi les beaux esprits de profession ; et si l'on joue* quelques marquis, je trouve qu'il y a bien plus de quoi jouer* les auteurs, et que ce serait une chose plaisante à mettre sur le théâtre que leurs grimaces savantes et leurs raffinements ridicules ; leur vicieuse coutume d'assassiner les gens de leurs ouvrages ; leur friandise de louanges[1] ; leurs ménagements de pensées ; leur trafic de réputation[2] ; et leurs ligues offensives et défensives, aussi bien que leurs guerres d'esprit, et leurs combats de prose, et de vers.

LYSIDAS. – Molière est bien heureux, Monsieur, d'avoir un protecteur aussi chaud que vous. Mais enfin, pour venir au fait, il est question de savoir si sa pièce est bonne, et je m'offre d'y montrer partout cent défauts visibles.

URANIE. – C'est une étrange* chose de vous autres Messieurs les poètes, que vous condamniez toujours les pièces où tout le monde court, et ne disiez jamais du bien que de celles où personne ne va. Vous montrez pour les

_____

1. Leur goût pour les louanges.
2. Voir note 4, p. 163.

unes une haine invincible, et pour les autres une tendresse qui n'est pas concevable.

DORANTE. – C'est qu'il est généreux* de se ranger du côté des affligés.

URANIE. – Mais, de grâce, Monsieur Lysidas, faites-nous voir ces défauts, dont je ne me suis point aperçue.

LYSIDAS. – Ceux qui possèdent Aristote et Horace voient d'abord*, Madame, que cette comédie pèche contre toutes les règles de l'art.

URANIE. – Je vous avoue que je n'ai aucune habitude avec[1] ces messieurs-là, et que je ne sais point les règles de l'art.

DORANTE. – Vous êtes de plaisantes gens avec vos règles dont vous embarrassez les ignorants, et nous étourdissez tous les jours. Il semble, à vous ouïr parler, que ces règles de l'art soient les plus grands mystères du monde, et cependant ce ne sont que quelques observations aisées que le bon sens a faites sur ce qui peut ôter le plaisir que l'on prend à ces sortes de poèmes[2] ; et le même bon sens qui a fait autrefois ces observations, les fait aisément tous les jours, sans le secours d'Horace et d'Aristote. Je voudrais bien savoir si la grande règle de toutes les règles n'est pas de plaire[3] ; et si une pièce de théâtre qui a attrapé son but n'a pas suivi un bon chemin. Veut-on que tout un public s'abuse sur ces sortes de

---

1. Que je ne fréquente pas.
2. Cette conception des règles s'est substituée, au milieu des années 1630, au principe de la seule autorité des Anciens. C'est elle qui a permis leur adoption systématique (par Molière autant que par ses contemporains). Mais les milieux mondains professent la plus grande indépendance à l'égard des deux grandes références antiques en matière de théorie dramatique, Aristote et Horace.
3. Idée courante dans les milieux mondains, et que Racine reprendra à son tour dans la Préface de *Bérénice* (1671) : « La principale règle est de plaire et de toucher. »

je m'expliquerai d'une autre façon, et je vous prie de répondre positivement à trois ou quatre choses que je vais dire. Peut-on souffrir* une pièce qui pèche contre le nom propre des pièces de théâtre ? Car enfin, le nom de poème dramatique vient d'un mot grec qui signifie agir, pour montrer que la nature de ce poème consiste dans l'action [1] ; et dans cette cette comédie-ci, il ne se passe point d'actions, et tout consiste en des récits que vient faire ou Agnès ou Horace.

LE MARQUIS. – Ah ! ah ! Chevalier !

CLIMÈNE. – Voilà qui est spirituellement remarqué, et c'est prendre le fin des choses.

LYSIDAS. – Est-il rien de si peu spirituel, ou, pour mieux dire, rien de si bas, que quelques mots où tout le monde rit, et surtout celui des *enfants par l'oreille* ?

CLIMÈNE. – Fort bien.

ÉLISE. – Ah !

LYSIDAS. – La scène du valet et de la servante au-dedans de la maison, n'est-elle pas d'une longueur ennuyeuse*, et tout à fait impertinente* ?

LE MARQUIS. – Cela est vrai.

CLIMÈNE. – Assurément.

ÉLISE. – Il a raison.

LYSIDAS. – Arnolphe ne donne-t-il pas trop librement son argent à Horace ? Et puisque c'est le personnage ridicule de la pièce, fallait-il lui faire faire l'action d'un honnête homme [2] ?

---

1. Voir Dossier, p. 227-229.
2. La pièce manquerait ainsi au principe de la constance du caractère, qui veut qu'un personnage possède le même caractère tout au long de la pièce. L'idée revient plus loin.

LE MARQUIS. – Bon, la remarque est encore bonne.

CLIMÈNE. – Admirable.

ÉLISE. – Merveilleuse*.

LYSIDAS. – Le sermon et les *Maximes*[1] ne sont-elles pas des choses ridicules, et qui choquent même le respect que l'on doit à nos mystères ?

LE MARQUIS. – C'est bien dit.

CLIMÈNE. – Voilà parlé comme il faut.

ÉLISE. – Il ne se peut rien de mieux.

LYSIDAS. – Et ce Monsieur de la Souche, enfin, qu'on nous fait un homme d'esprit, et qui paraît si sérieux en tant d'endroits, ne descend-il point dans quelque chose de trop comique et de trop outré au cinquième acte, lorsqu'il explique à Agnès la violence de son amour, avec ces roulements d'yeux extravagants, ces soupirs ridicules, et ces larmes niaises qui font rire tout le monde ?

LE MARQUIS. – Morbleu ! merveille !

CLIMÈNE. – Miracle !

ÉLISE. – Vivat ! Monsieur Lysidas.

LYSIDAS. – Je laisse cent mille autres choses, de peur d'être ennuyeux.

LE MARQUIS. – Parbleu ! Chevalier, te voilà mal ajusté.

DORANTE. – Il faut voir.

LE MARQUIS. – Tu as trouvé ton homme, ma foi !

DORANTE. – Peut-être.

LE MARQUIS. – Réponds, réponds, réponds, réponds.

---

1. *L'École des femmes*, III, 2. La scène est saturée, de fait, par le lexique religieux (« enfer », « chaudières bouillantes »…).

DORANTE. – Volontiers. Il...

LE MARQUIS. – Réponds donc, je te prie.

DORANTE. – Laisse-moi donc faire. Si...

LE MARQUIS. – Parbleu ! je te défie de répondre.

DORANTE. – Oui, si tu parles toujours.

CLIMÈNE. – De grâce, écoutons ses raisons.

DORANTE. – Premièrement, il n'est pas vrai de dire que toute la pièce n'est qu'en récits. On y voit beaucoup d'actions qui se passent sur la scène ; et les récits eux-mêmes y sont des actions, suivant la constitution du sujet ; d'autant qu'ils sont tous faits innocemment, ces récits, à la personne intéressée, qui par-là entre, à tous coups, dans une confusion à réjouir les spectateurs, et prend, à chaque nouvelle, toutes les mesures qu'il peut pour se parer du malheur qu'il craint.

URANIE. – Pour moi, je trouve que la beauté du sujet de *L'École des femmes* consiste dans cette confidence per-pétuelle ; et ce qui me paraît assez plaisant, c'est qu'un homme qui a de l'esprit, et qui est averti de tout par une innocente qui est sa maîtresse, et par un étourdi qui est son rival, ne puisse avec cela éviter ce qui lui arrive.

LE MARQUIS. – Bagatelle, bagatelle*.

CLIMÈNE. – Faible réponse.

ÉLISE. – Mauvaises raisons.

DORANTE. – Pour ce qui est des *enfants par l'oreille*, ils ne sont plaisants que par réflexion à [1] Arnolphe ; et l'auteur n'a pas mis cela pour être de soi un bon mot, mais seulement pour une chose qui caractérise l'homme, et peint d'autant mieux son extravagance, puisqu'il rapporte

_____

1. Que si on les rapporte à.

une sottise triviale qu'a dite Agnès comme la chose la plus belle du monde, et qui lui donne une joie inconcevable.

LE MARQUIS. – C'est mal répondre.

CLIMÈNE. – Cela ne satisfait point.

ÉLISE. – C'est ne rien dire.

DORANTE. – Quant à l'argent qu'il donne librement, outre que la lettre de son meilleur ami lui est une caution suffisante, il n'est pas incompatible qu'une personne soit ridicule en de certaines choses, et honnête homme en d'autres. Et pour la scène d'Alain et de Georgette dans le logis, que quelques-uns ont trouvée longue et froide*, il est certain qu'elle n'est pas sans raison ; et de même qu'Arnolphe se trouve attrapé, pendant son voyage, par la pure innocence de sa maîtresse, il demeure, au retour, longtemps à sa porte par l'innocence de ses valets, afin qu'il soit partout puni par les choses qu'il a cru faire la sûreté de ses précautions.

LE MARQUIS. – Voilà des raisons qui ne valent rien.

CLIMÈNE. – Tout cela ne fait que blanchir*.

ÉLISE. – Cela fait pitié.

DORANTE. – Pour le discours moral que vous appelez un sermon, il est certain que de vrais dévots qui l'ont ouï n'ont pas trouvé qu'il choquât ce que vous dites ; et sans doute* que ces paroles d'*enfer* et de *chaudières bouillantes* sont assez justifiées par l'extravagance d'Arnolphe et par l'innocence de celle à qui il parle. Et quant au transport* amoureux du cinquième acte, qu'on accuse d'être trop outré et trop comique, je voudrais bien savoir si ce n'est pas faire la satire des amants, et si les honnêtes gens même, et les plus sérieux, en de pareilles occasions, ne font pas des choses… ?

LE MARQUIS. – Ma foi, Chevalier, tu ferais mieux de te taire.

DORANTE. – Fort bien. Mais enfin si nous nous regardions nous-mêmes, quand nous sommes bien amoureux… ?

LE MARQUIS. – Je ne veux pas seulement t'écouter.

DORANTE. – Écoute-moi, si tu veux. Est-ce que dans la violence de la passion… ?

LE MARQUIS. – La, la, la, la, lare, la, la, la, la, la, la. *(Il chante.)*

DORANTE. – Quoi… ?

LE MARQUIS. – La, la, la, la, lare, la, la, la, la, la, la.

DORANTE. – Je ne sais pas si…

LE MARQUIS. – La, la, la, la, lare, la, la, la, la, la, la, la.

URANIE. – Il me semble que…

LE MARQUIS. – La, la, la, lare, la, la, la, la, la, la, la, la, la, la.

URANIE. – Il se passe des choses assez plaisantes dans notre dispute. Je trouve qu'on en pourrait bien faire une petite comédie, et que cela ne serait pas trop mal à la queue de [1] *L'École des femmes*.

DORANTE. – Vous avez raison.

LE MARQUIS. – Parbleu ! Chevalier, tu jouerais là-dedans un rôle qui ne te serait pas avantageux.

DORANTE. – Il est vrai, Marquis.

CLIMÈNE. – Pour moi, je souhaiterais que cela se fît, pourvu qu'on traitât l'affaire comme elle s'est passée.

---

1. À la suite de.

ÉLISE. – Et moi, je fournirais de bon cœur mon personnage.

LYSIDAS. – Je ne refuserais pas le mien, que je pense.

URANIE. – Puisque chacun en serait content, Chevalier, faites un mémoire [1] de tout, et le donnez à Molière, que vous connaissez, pour le mettre en comédie.

CLIMÈNE. – Il n'aurait garde [2], sans doute*, et ce ne serait pas des vers à sa louange.

URANIE. – Point, point ; je connais son humeur : il ne se soucie pas qu'on fronde* ses pièces, pourvu qu'il y vienne du monde.

DORANTE. – Oui ; mais quel dénouement pourrait-il trouver à ceci ? car il ne saurait y avoir ni mariage ni reconnaissance ; et je ne sais point par où l'on pourrait faire finir la dispute.

URANIE. – Il faudrait rêver* quelque incident pour cela.

Scène 7 et dernière

GALOPIN, LYSIDAS, DORANTE, LE MARQUIS, CLIMÈNE, ÉLISE, URANIE

GALOPIN. – Madame, on a servi sur table.

DORANTE. – Ah ! voilà justement ce qu'il faut pour le dénouement que nous cherchions ; et l'on ne peut rien trouver de plus naturel. On disputera fort et ferme de part et d'autre, comme nous avons fait, sans que per-

---

1. Un procès-verbal.
2. Il s'en faudrait beaucoup [pour qu'il accepte].

Gardez-vous bien d'être en Muse bâtie [1] ;
Un air de Muse est choquant dans ces lieux :
On y veut des objets à réjouir les yeux,
15   Vous en devez être avertie,
Et vous ferez votre cour beaucoup mieux,
Lorsqu'en Marquis [2] vous serez travestie.
Vous savez ce qu'il faut pour paraître Marquis.
N'oubliez rien de l'air, ni des habits :
20 Arborez un chapeau chargé de trente plumes
        Sur une perruque de prix ;
Que le rabat soit des plus grands volumes,
Et le pourpoint [3] des plus petits :
Mais surtout je vous recommande
25 Le manteau d'un ruban sur le dos retroussé :
        La galanterie* en est grande,
Et parmi les Marquis de la plus haute bande,
        C'est pour être placé [4].
        Avec vos brillantes hardes*,
30   Et votre ajustement,
Faites tout le trajet de la salle des gardes,
        Et vous peignant galamment*,
Portez de tous côtés vos regards brusquement,
        Et ceux que vous pourrez connaître,
35   Ne manquez pas d'un haut ton,
        De les saluer par leur nom,

---

1. De paraître en muse.
2. Le Marquis est en train de devenir l'une des marques propres du théâtre de Molière autant que de son répertoire d'acteur : après celui des *Précieuses ridicules* (le marquis de Mascarille), Molière interprète, au moment où il compose ce « Remerciement », le Marquis de *La Critique de l'École des femmes* ; il redoublera le rôle et en théorisera l'usage quelques mois plus tard dans *L'Impromptu de Versailles* (voir le Dossier, p. 200-201) et lui fera à nouveau place dans *Le Misanthrope*, sous les noms d'Acaste et de Clitandre.
3. Le pourpoint désigne la partie supérieure du vêtement masculin, sur lequel on porte un « rabat », c'est-à-dire un col. L'ensemble de ces éléments (chapeau à plumes, perruque, grand rabat, petit pourpoint) correspond à l'habillement à la mode pour les hommes.
4. C'est ce qui permet d'être placé parmi les marquis les plus en vue.

De quelque rang qu'ils puissent être ;
Cette familiarité
Donne, à quiconque en use, un air de qualité* [1].

40   Grattez du peigne à la porte
De la chambre du Roi [2] ;
Ou si, comme je prévois,
La presse s'y trouve forte [3],
Montrez de loin votre chapeau,
45   Ou montez sur quelque chose,
Pour faire voir votre museau,
Et criez, sans aucune pause,
D'un ton rien moins que naturel :
« Monsieur l'huissier, pour le marquis un tel. »
50 Jetez-vous dans la foule, et tranchez du notable.
Coudoyez un chacun ; point du tout de quartier.
Pressez, poussez, faites le diable,
Pour vous mettre le premier :
Et quand même l'huissier,
55   À vos désirs inexorable,
Vous trouverait en face un marquis repoussable [4],
Ne démordez point pour cela ;
Tenez toujours ferme là ;
À déboucher la porte il irait trop du vôtre [5] :
60   Faites qu'aucun n'y puisse pénétrer,
Et qu'on soit obligé de vous laisser entrer,
Pour faire entrer quelque autre.

---

1. L'usage qui consiste à faire l'économie du titre qui précède le patronyme semble, à l'époque, avoir été réservé aux Grands.
2. La scène qui suit évoquait nécessairement, pour les lecteurs contemporains, un passage du *Baron de la Crasse* (1661) de Raymond Poisson, portrait satirique d'un noble de province méconnaissant les usages de la cour et qui, voulant assister au lever du roi, finissait par se faire arracher une partie des cheveux.
3. La foule est trop nombreuse.
4. Néologisme imaginé sur le modèle de ceux qu'inventent, réellement ou supposément, les précieuses.
5. Sous-entendu : de votre honneur.

Quand vous serez entré, ne vous relâchez pas.
Pour assiéger la chaise [1], il faut d'autres combats.
65   Tâchez d'en être des plus proches,
          En y gagnant le terrain pas à pas ;
Et si des assiégeants le prévenant amas [2]
          En bouche toutes les approches,
          Prenez le parti doucement,
70   D'attendre le Prince au passage :
          Il connaîtra* votre visage,
          Malgré votre déguisement ;
          Et lors, sans tarder davantage,
          Faites-lui votre compliment.
75   Vous pourriez aisément l'étendre [3],
Et parler des transports, qu'en vous font éclater,
Les surprenants bienfaits, que sans les mériter,
Sa libérale main sur vous daigne répandre,
Et des nouveaux efforts, où s'en va vous porter
80 L'excès [4] de cet honneur où vous n'osiez prétendre ;
          Lui dire comme vos désirs
Sont, après ses bontés, qui n'ont point de pareilles,
D'employer à sa gloire, ainsi qu'à ses plaisirs,
          Tout votre art et toutes vos veilles ;
85   Et là-dessus lui promettre merveilles.
          Sur ce chapitre on n'est jamais à sec :
          Les Muses sont de grandes prometteuses,
          Et comme vos sœurs les causeuses,
Vous ne manqueriez pas, sans doute, par le bec [5].
90   Mais les grands princes n'aiment guère,
          Que les compliments qui sont courts ;
Et le nôtre surtout a bien d'autres affaires,

---

1. Le fauteuil où s'assied le roi.
2. La foule qui vous précède.
3. Ici commence une prétérition qui tient lieu du remerciement à proprement parler.
4. Le haut degré.
5. Vous ne manqueriez pas de paroles, vous auriez bien quelque chose à dire (expression familière).

Que d'écouter tous vos discours.
La louange et l'encens n'est pas ce qui le touche,
95   Dès que vous ouvrirez la bouche,
Pour lui parler de grâce, et de bienfait,
Il comprendra d'abord ce que vous voudrez dire,
Et se mettant doucement à sourire,
D'un air, qui sur les cœurs fait un charmant effet,
00   Il passera comme un trait,
Et cela vous doit suffire,
Voilà votre compliment fait.

Fin

DOSSIER

1 — *La querelle de* L'ÉCOLE DES FEMMES

L'École des femmes semble avoir suscité, dès sa création, un certain nombre de critiques d'ordre à la fois esthétique et moral : les détracteurs de Molière lui reprochent d'une part la multiplication des récits et la présence de comique bas dans une pièce en cinq actes et en vers, d'autre part sa critique du rigorisme moral et la multiplication des équivoques grivoises[1]. Ce qui n'est au départ qu'une « fronde » verbale prend un autre tour après la représentation de *La Critique de l'École des femmes*, où Molière désigne explicitement ses censeurs et formule leurs griefs, réels ou supposés.

Commence alors ce que l'on a coutume d'appeler la « querelle de *L'École des femmes* », qui fut assurément moins importante pour Molière, dans ses enjeux comme dans ses conséquences, que la « querelle du *Tartuffe* » (1664-1669)[2]. En 1663, ce sont essentiellement de jeunes auteurs qui se jettent dans la bataille, espérant ainsi se faire un nom et tirer profit de la réputation qui accompagne désormais celui de Molière. La Querelle est surtout une excellente opération de communication de la part du comédien-poète, qui réussit à faire parler de lui pendant une année entière et trouve le moyen d'assurer un succès durable à cette *École des femmes* si « détestable », « obscène » et qui « pèche contre toutes les règles de l'art » (*La Critique de l'École des femmes*, scènes 3 et 6).

---

1. Voir la Présentation, p. 16-18.
2. Ses ennemis, soutenus par le parti dévot et la reine mère, accusaient en effet Molière d'athéisme et cherchaient à le faire passer pour un auteur immoral.

À la scène suivante, les personnages sont rejoints par le comte, qui relate une représentation du *Portrait du peintre ou la Contre-Critique de l'École des femmes* de Boursault à laquelle il a assisté, en présence d'un spectateur illustre : Molière lui-même. *Le Portrait du peintre*, dont le récit du comte donne un aperçu très significatif, apparaît ainsi comme une réécriture de *La Critique de l'École des femmes*, centrée, à l'instar de la pièce de Molière, sur les équivoques sexuelles.

LE COMTE

Dernièrement étant à la *Contre-Critique*,
Je reçus là, Marquis, un plaisir angélique.
Comme de notre peintre on faisait le portrait,
Et que l'on le croyait tirer là trait pour trait,
Tu sauras que lui-même en cette conjoncture
Était présent alors que l'on fit sa peinture ;
De sorte que ce fut un charme sans égal,
De voir et la copie, et son original.
On prit par tous endroits son *École des femmes*,
Où, pour la critiquer, quelqu'une de ces dames
Alla dans ce moment appliquer tout son choix
À l'endroit de la soupe où l'on trempe les doigts ;
Puis de là ces messieurs, d'une satire extrême,
Donnèrent en suivant dans la tarte à la crème ;
Et le plus enjoué qu'ils drapèrent après,
Ce fut celui du *le*, ce charmant *le* d'Agnès.
Quoi, n'est-ce pas malice à nulle autre seconde,
D'oser blâmer ce *le*, ce délice du monde ?
Ce n'est pas encor tout, ils blâmèrent l'auteur
Des puces dont il a réveillé l'auditeur,
Et de cette façon dont Alain et Georgette
S'appellent l'un et l'autre, et que drapa le poète.
Ce qui fut plus plaisant, c'est qu'un certain d'entre eux
Dit que la pièce était un poème sérieux,
Que, bien loin que ce fût une pièce comique,
Qu'il ne s'en pouvait voir aucune plus tragique.
Les autres de ce point ne restant pas d'accord,
Il leur dit là-dessus, *Le petit chat est mort*,
Et soutient hautement que c'était tragédie

MADEMOISELLE BÉJART. – Il est vrai, on ne s'en saurait passer.

MOLIÈRE. – Pour vous, Mademoiselle…

MADEMOISELLE DU PARC. – Mon Dieu, pour moi je m'acquitterai fort mal de mon personnage, et je ne sais pas pourquoi vous m'avez donné ce rôle de façonnière [1].

MOLIÈRE. – Mon Dieu, Mademoiselle, voilà comme vous disiez lorsque l'on vous donna celui de *La Critique de l'École des femmes*, cependant vous vous en êtes acquittée à merveille, et tout le monde est demeuré d'accord qu'on ne peut pas mieux faire que vous avez fait, croyez-moi, celui-ci sera de même, et vous le jouerez mieux que vous ne pensez.

MADEMOISELLE DU PARC. – Comment cela se pourrait-il faire, car il n'y a point de personne au monde qui soit moins façonnière que moi.

MOLIÈRE. – Cela est vrai, et c'est en quoi vous faites mieux voir que vous êtes excellente comédienne de bien représenter un personnage, qui est si contraire à votre humeur : tâchez donc de bien prendre tous le caractère de vos rôles, et de vous figurer que vous êtes ce que vous représentez. *À Du Croisy.* Vous faites le poète, vous, et vous devez vous remplir de ce personnage, marquer cet air pédant qui se conserve parmi le commerce du beau monde, ce ton de voix sentencieux, et cette exactitude de prononciation qui appuie sur toutes les syllabes, et ne laisse échapper aucune lettre de la plus sévère orthographe. *À Brécourt.* Pour vous, vous faites un honnête homme de cour, comme vous avez déjà fait dans *La Critique de l'École des femmes*, c'est-à-dire que vous devez prendre un air posé, un ton de voix naturel, et gesticuler le moins qu'il vous sera possible. *À de La Grange.* Pour vous je n'ai rien à vous dire. *À Mademoiselle Béjart.* Vous, vous représentez une de ces femmes, qui pourvu qu'elles ne fassent point l'amour [2], croient que tout le reste leur est permis, de ces femmes qui se retranchent toujours fièrement sur leur pruderie, regardent un chacun de haut en bas, et veulent que

---

1. Ici : précieuse.
2. N'entretiennent pas de relation amoureuse.

toutes les plus belles qualités que possèdent les autres, ne soient rien en comparaison d'un misérable honneur dont personne ne se soucie ; ayez toujours ce caractère devant les yeux pour en bien faire les grimaces. *À Mademoiselle de Brie.* Pour vous, vous faites une de ces femmes qui pensent être les plus vertueuses personnes du monde, pourvu qu'elles sauvent les apparences, de ces femmes qui croient que le péché n'est que dans le scandale, qui veulent conduire doucement les affaires qu'elles ont sur le pied d'attachement honnête, et appellent amis ce que les autres nomment galants*, entrez bien dans ce caractère. *À Mademoiselle Molière.* Vous, vous faites le même personnage que dans la *Critique*, et je n'ai rien à vous dire non plus qu'à Mademoiselle Du Parc. *À Mademoiselle Du Croisy.* Pour vous, vous représentez une de ces personnes qui prêtent doucement des charités à tout le monde, de ces Femmes qui donnent toujours le petit coup de langue en passant, et seraient bien fâchées d'avoir souffert qu'on eût dit du bien du prochain ; je crois que vous ne vous acquitterez pas mal de ce rôle. *À Mademoiselle Hervé.* Et pour vous, vous êtes la soubrette de la précieuse, qui se mêle de temps en temps dans la conversation, et attrape comme elle peut tous les termes de sa maîtresse ; je vous dis tous vos caractères, afin que vous vous les imprimiez fortement dans l'esprit. Commençons maintenant à répéter, et voyons comme cela ira. Ah ! voici justement un fâcheux, il ne nous fallait plus que cela [1].

MONTFLEURY, *L'IMPROMPTU DE L'HÔTEL DE CONDÉ*

L'Impromptu de l'Hôtel de Condé est la réponse du berger à la bergère : Molière avait tourné en dérision le jeu de son père dans *L'Impromptu de Versailles* ; le fils de Montfleury, dont la carrière dramatique avait commencé trois ans plus tôt, le vengeait en se moquant des piètres qualités de tragédien de son auteur. Entré à la scène pré-

---

1. Molière, *L'Impromptu de Versailles*, scène 1, 1682 ; dans Molière, *Œuvres complètes*, éd. cit., t. II, p. 824-829.

cédente, le marquis vient de se proclamer « protecteur déclaré » de Molière, ce qui suscite la raillerie des autres personnages :

ALCIDON

Il est vrai qu'il récite avecque beaucoup d'art,
Témoin dedans Pompée alors qu'il fait César ;
Madame, avez-vous vu dans ces tapisseries
Ces héros de roman ?

LA MARQUISE

Oui.

LE MARQUIS

                    Belles railleries !

ALCIDON

Il est fait tout de même ; il vient le nez au vent,
Les pieds en parenthèse, et l'épaule en avant,
Sa perruque qui suit le côté qu'il avance,
Plus pleine de lauriers qu'un jambon de Mayence,
Les mains sur les côtés d'un air peu négligé,
La tête sur le dos comme un mulet chargé,
Les yeux fort égarés, puis débitant ses rôles,
D'un hoquet éternel sépare ses paroles,
Et lorsque l'on lui dit, *et commandez ici,*
il répond,
Connaissez-vous César de lui parler ainsi ;
Que m'offrirait de pis la fortune ennemie,
À moi qui tiens le sceptre égal à l'infamie[1] ?
[...]

LE MARQUIS

Non ; pour le sérieux c'est un méchant* acteur,
J'en demeure d'accord, mais il est bon farceur[2].

Les personnages évoquent alors la scène 5 de l'acte V de *L'École des femmes*, où Molière interprète son per-

---

1. Corneille, *La Mort de Pompée* (1643), III, 2, v. 808-810. C'est l'une des rares tragédies dans lesquelles Molière semble avoir tenu un rôle.
2. Acteur comique.

vice. Il ne répudie pourtant pas son épouse, mais meurt quelques années seulement après ce mariage malheureux.

DORIMOND, *L'ÉCOLE DES COCUS* OU LA *PRÉCAUTION INUTILE*

Deux ans exactement avant la création de *L'École des femmes*, les Parisiens avaient pu assister à la représentation de la première adaptation dramatique du sujet, une pièce en un acte du comédien-poète Nicolas Drouin, dit Dorimond, donnée à la scène sous le titre *La Précaution inutile* et publiée en août 1661, après la création de *L'École des maris*, sous celui de *L'École des cocus ou la Précaution inutile*. Cet acteur itinérant appartenant à la troupe de Mademoiselle est alors de passage à Paris, et fait jouer et imprimer plusieurs œuvres dramatiques, parmi lesquelles *Le Festin de Pierre ou le Fils criminel*, qui pourrait avoir servi de point de départ au *Dom Juan* de Molière. Son adaptation du sujet de la précaution inutile diffère grandement de celle de Molière : il conserve en effet l'ensemble des données de la nouvelle, qu'il combine avec l'univers fictionnel et le personnel dramatique propres à la *commedia dell'arte* et transforme ainsi le personnage principal en un Capitan qui, après avoir été trompé, cherche conseil auprès d'une certaine Philis :

PHILIS

Mais je vous veux donner une bonne leçon,
Vous voulez épouser une sotte, un oison,
Une beauté stupide, une pauvre ignorante,
Pour n'être point trompé, pour qu'elle soit constante.
Que c'est un animal méchant et dangereux
Qu'une femme ignorante, et qu'il est vicieux !
Une beauté subtile, une gentille femme,
En trompant son mari, saura cacher sa flamme* ;

Mais la niaise enfin, en l'actéonisant [1],
N'aura pas au besoin l'esprit assez présent,
Ne saura pas non plus en faisant la colère,
Sortir bien à propos d'une méchante affaire,
Et souvent Capitan une sotte fera,
Son pauvre homme cocu, et l'en avertira.
[...]

LE CAPITAN

Dites, si j'épousais de ces beautés bigotes,
Qui ruminent toujours, qui sans cesse marmottent [2],
Elle serait honnête, elle n'aurait pour but,
Que le soin de songer à faire son salut.

PHILIS

Non, non, une bigote en ce siècle où nous sommes,
Tromperait Dieu, les saints, avecque tous les hommes,
Ce n'est point votre fait, ne vous y fiez pas,
Car vous vous jetteriez dans quelque autre embarras.

LE CAPITAN

Ainsi je ne sais plus de quel côté me rendre.

PHILIS

Je vous conseille...

LE CAPITAN

Et quoi donc ?

PHILIS

De vous aller pendre [3].

---

1. En le trompant, en lui plantant des cornes. L'origine de ce verbe, qui appartient au langage bas, est la métamorphose, mythologique, d'Actéon en cerf.
2. Marmonner (des prières).
3. Dorimond, *L'École des cocus ou la Précaution inutile*, Paris, Ribou, 1661, scène 4, p. 21-23.

BEAUMARCHAIS, *LE BARBIER DE SÉVILLE* *OU LA PRÉCAUTION INUTILE*

Dans la « Lettre modérée sur la chute et la critique du *Barbier de Séville* », Beaumarchais résume le sujet de sa pièce en ces termes : « Un vieillard amoureux prétend épouser demain sa pupille ; un jeune amant plus adroit le prévient, et ce jour même en fait sa femme, à la barbe et dans la maison du tuteur. Voilà le fond, dont on eût pu faire, avec un égal succès, une tragédie, une comédie, un drame, un opéra, *et cœtera*. *L'Avare* de Molière est-il autre chose ? Le grand *Mithridate* [de Racine] est-il autre chose ? » Mais c'est aussi et surtout avec le sujet de *L'École des femmes* et, plus généralement, avec la tradition du sujet de la précaution inutile que joue Beaumarchais, d'autant que, à partir de la fin du XVIIᵉ siècle, le titre est donné à plusieurs pièces composées pour le Théâtre-Italien, la Foire ou l'Opéra-Comique. Présente dans le sous-titre du *Barbier de Séville* (1775), la formule est sollicitée dans les toutes dernières paroles de la comédie, prononcées par Figaro : « soyons vrais, docteur : quand la jeunesse et l'amour sont d'accord pour tromper un vieillard, tout ce qu'il fait pour l'empêcher peut bien s'appeler à bon droit *La Précaution inutile* ». Elle est introduite dès l'exposition, avec une pluralité de sens et d'usages :

BARTHOLO, ROSINE

(La jalousie du premier étage s'ouvre,
et Bartholo et Rosine se mettent à la fenêtre.)

ROSINE. – Comme le grand air fait plaisir à respirer ! Cette jalousie s'ouvre si rarement…

BARTHOLO. – Quel papier tenez-vous là ?

ROSINE. – Ce sont des couplets de *La Précaution inutile* que mon maître à chanter m'a donnés hier.

BARTHOLO. – Qu'est-ce que *La Précaution inutile* ?

ROSINE. – C'est une comédie nouvelle.

BARTHOLO. – Quelque drame encore ! Quelque sottise d'un nouveau genre !

ROSINE. – Je n'en sais rien.

BARTHOLO. – Euh, euh ! les journaux et l'autorité nous en feront raison. Siècle barbare !...

ROSINE. – Vous injuriez toujours notre pauvre siècle.

BARTHOLO. – Pardon de la liberté, qu'a-t-il produit pour qu'on le loue ? Sottises de toute espèce : la liberté de penser, l'attraction, l'électricité, le tolérantisme, l'inoculation, le quinquina, l'Encyclopédie et les drames...

ROSINE (*Le papier lui échappe et tombe dans la rue.*). – Ah ! ma chanson ! ma chanson est tombée en vous écoutant ; courez, courez donc, monsieur ; ma chanson ! elle sera perdue !

BARTHOLO. – Que diable aussi, l'on tient ce qu'on tient.
Il quitte le balcon.

ROSINE *regarde en dedans et fait signe dans la rue.* – S't, s't, *(le comte paraît)* ramassez vite et sauvez-vous.
Le comte ne fait qu'un saut, ramasse le papier et rentre.

BARTHOLO *sort de la maison et cherche.* – Où donc est-il ? Je ne vois rien.

ROSINE. – Sous le balcon, au pied du mur.

BARTHOLO. – Vous me donnez là une jolie commission ! Il est donc passé quelqu'un ?

ROSINE. – Je n'ai vu personne.

BARTHOLO, *à lui-même.* – Et moi qui ai la bonté de chercher... Bartholo, vous n'êtes qu'un sot, mon ami : ceci doit vous apprendre à ne jamais ouvrir de jalousies sur la rue.
Il rentre.

ROSINE, *toujours au balcon*. – Mon excuse est dans mon malheur : seule, enfermée, en butte à la persécution d'un homme odieux, est-ce un crime que de tenter à sortir d'esclavage ?

BARTHOLO, *paraissant au balcon*. – Rentrez, signora ; c'est ma faute si vous avez perdu votre chanson, mais ce malheur ne vous arrivera plus, je vous jure.

Il ferme la jalousie à clef.

Scène 4
LE COMTE, FIGARO
(Ils rentrent avec précaution.)

LE COMTE. – À présent qu'ils sont retirés, examinons cette chanson, dans laquelle un mystère est sûrement renfermé. C'est un billet !

FIGARO. – Il demandait ce que c'est que *La Précaution inutile* [1] !

---

1. Beaumarchais, *Le Barbier de Séville ou la Précaution inutile* (1775), I, 3-4 ; éd. J. Goldzink, GF-Flammarion, 2001, p. 81-82.

La virulence des propos d'Arnolphe, qui vitupère savantes, précieuses et spirituelles, voit dans la femme une créature diabolique que seul le mariage peut assujettir, et dénigre l'accès des femmes au savoir – ne suffit-il pas qu'Agnès sache « prier Dieu, [l']aimer, coudre et filer » (I, 1) ? –, est proportionnelle aux manifestations, dans la seconde moitié du XVIIe siècle, de ce que l'on peut appeler le premier féminisme moderne.

C'est à lui que se rattache l'émergence des précieuses et des femmes savantes, figures très proches, parfois identiques, dont Molière offre avec *Les Précieuses ridicules* (1659) et *Les Femmes savantes* (1672) deux portraits déformés. Cette optique satirique, qui transforme les types et les thèmes contemporains en objets comiques et provoque ainsi le milieu mondain d'où ils proviennent pour mieux affirmer *in fine* son adhésion aux valeurs de ce milieu, est l'une des constantes du théâtre de Molière. Il n'en va pas autrement dans *L'École des femmes*, où les provocations d'Arnolphe sont frappées d'impuissance par la trajectoire que dessine la pièce et font valoir par contraste les thèses mondaines en faveur des femmes.

Il ne faut cependant pas oublier que le titre de la pièce indique aussi un autre horizon, parfaitement perceptible par les contemporains, et dont Molière ne se prive pas d'exploiter les potentialités : celui de l'éducation sexuelle des jeunes filles. De fait, les deux champs ne sont pas incompatibles. Mais la sexualité est, généralement, un impensé de la culture mondaine. Et la pièce ne cesse, au contraire, de faire se rencontrer valeurs mondaines et équivoques sexuelles, soit deux conceptions de l'éducation féminine. À quelle fin ? Pour faire rire le public, assurément, et notamment celui de la cour qui goûtait l'humour peu raffiné, voire franchement grossier. Peut-être aussi parce que, à l'instar du personnage d'Henriette dans *Les Femmes savantes*, Molière plaide – à sa manière, c'est-à-dire en poète comique – pour la prise en compte de l'unité de la personne et, comme Agnès ou comme les personnages du dialogue érotique de *L'École des filles*, ne croit pas qu'il faille « chasser ce qui fait du plaisir ».

LA DÉFENSE DES FEMMES :
POULLAIN DE LA BARRE,
DE L'ÉGALITÉ DES HOMMES ET DES FEMMES

Homme de lettres et disciple de Descartes, François Poullain de La Barre est l'auteur, en 1673, d'un important traité en faveur de l'égalité des sexes. Il y reprend des idées empruntées à la tradition de l'apologétique féminine, mais développe surtout des arguments philosophiques qui montrent la part proprement culturelle des préjugés attachés aux femmes.

Combien y a-t-il de gens dans la poussière, qui se fussent signalés si on les avait un peu poussés ? Et des paysans qui seraient de grands docteurs si on les avait mis à l'étude ? On serait assez mal fondé de prétendre que les plus habiles gens d'aujourd'hui soient ceux de leur temps qui ont eu plus de disposition pour les choses en quoi ils éclatent ; et que dans un si grand nombre de personnes ensevelies dans l'ignorance, il n'y en a point qui avec les mêmes moyens qu'ils ont eus, se fussent rendus plus capables.

Sur quoi donc peut-on assurer que les femmes y soient moins propres que nous, puisque ce n'est pas le hasard, mais une nécessité insurmontable, qui les empêche d'y avoir part ? Je ne soutiens pas qu'elles soient toutes capables des sciences et des emplois, ni que chacune le soit de tous : personne ne le prétend non plus des hommes ; mais je demande seulement qu'à prendre les deux sexes en général, on reconnaisse dans l'un autant de disposition que dans l'autre.

[...] quoique ce qui paraît dans les deux sexes, lorsqu'ils ne sont encore qu'au berceau, suffise déjà pour faire juger que le plus beau donne aussi plus de belles espérances, on n'y a aucun égard. Les maîtres et les instructions ne sont que pour les hommes : on prend un soin tout particulier de les instruire de tout ce qu'on croit le plus propre à former l'esprit, pendant qu'on laisse languir les femmes, dans l'oisiveté, dans la mollesse, et dans l'ignorance, ou ramper dans les exercices les plus bas et les plus vils.

Mais aussi, il ne faut que des yeux pour reconnaître, qu'il est en cela de deux sexes, comme de deux frères dans une famille, où le cadet fait voir souvent, nonobstant la négligence avec laquelle on l'élève, que son aîné n'a par-dessus lui que l'avantage d'être venu le premier.

Dans la seconde partie, l'auteur affirme, entre autres, qu'il n'existe aucune différence anatomique entre l'homme et la femme et que, par conséquent, ils sont dotés de capacités intellectuelles égales.

L'anatomie la plus exacte ne nous fait remarquer aucune différence dans cette partie, entre les hommes et les femmes : le cerveau de celles-ci est entièrement semblable au nôtre : les impressions des sens s'y reçoivent et s'y rassemblent de même façon et ne s'y conservent point autrement pour l'imagination et pour la mémoire. Les femmes entendent comme nous, par les oreilles, elles voient par les yeux, et elles goûtent avec la langue ; et il n'y a rien de particulier dans la disposition de ces organes, sinon que d'ordinaire elles les ont plus délicats ; ce qui est un avantage. [...] Qui les empêchera donc de s'appliquer à la considération d'elles-mêmes, d'examiner en quoi consiste la nature de l'esprit ; combien il a de sortes de pensées, et comment elles s'excitent à l'occasion de certains mouvements corporels ; de consulter ensuite les idées naturelles qu'elles ont de Dieu, et de commencer par les choses spirituelles, à disposer avec ordre leurs pensées, et à se faire[1] la science qu'on appelle métaphysique[2] ?

L'ÉDUCATION DES FEMMES :
L'HISTOIRE DE SAPHO DANS
LE GRAND CYRUS DE MLLE DE SCUDÉRY

Dans l'une des histoires intérieures du plus célèbre roman de la seconde moitié du siècle, *Artamène ou le Grand Cyrus*, Mlle de Scudéry confie à son double fictionnel, Sapho, le soin de présenter ses positions sur l'accès des femmes à l'éducation, sur les savoirs qu'elles peuvent ou doivent connaître et sur le bon usage du savoir féminin. Elle n'a de cesse, en effet, de distinguer deux usages de ce savoir : un mauvais usage, incarné par la figure repoussoir de la femme savante, version féminine du pédant, qui bafoue les principes de l'honnêteté, de la galanterie et de la politesse ; un bon usage, qu'elle représente, et qui est fondé sur la discrétion, la bienséance et le respect des règles de la conversation.

On demande à Sapho si les femmes devraient savoir plus que ce qu'elles savent aujourd'hui.

> – Ah, pour cette question, reprit Sapho, je pense qu'elle est aisée à résoudre, car enfin il faut que j'avoue [...] qu'encore que je sois ennemie déclarée de toutes femmes qui font les savantes, je ne laisse pas de trouver l'autre extrémité fort condamnable et d'être souvent épouvantée de voir tant de femmes de qualité avec une ignorance si grossière que, selon moi, elles déshonorent notre sexe [...].
> Pour moi, dit Sapho, je suis persuadée que la raison d[u] peu de temps qu'ont toutes les femmes, à en parler en géné-

---

1. Se mêler de.
2. Poullain de La Barre, *De l'égalité des deux sexes. Discours physique et moral, où l'on voit l'importance de se défaire des préjugés* (1673) ; 2ᵉ éd., Paris, J. Dupuis, 1676, p. 29-32 et 100-101.

ral, est sans doute* que rien n'occupe davantage qu'une
longue oisiveté, joint qu'elles se font presque toutes de
grandes affaires de fort petites choses et qu'une boucle de
leurs cheveux mal tournée leur emporte plus de temps à la
mieux tourner que ne ferait une chose fort utile et fort
agréable tout ensemble. Il ne faut pourtant pas qu'on s'ima-
gine, ajouta-t-elle, que je veuille qu'une femme ne soit point
propre [1] et qu'elle ne sache ni danser, ni chanter, car, au
contraire, je veux qu'elle sache toutes les choses divertis-
santes. Mais, à dire la vérité, je voudrais qu'on eût autant de
soin d'orner son esprit que son corps et qu'entre être savante
ou ignorante, on prît un chemin entre ces deux extrémités
qui empêchât d'être incommode par une suffisance impertinente*, ou par une stupidité ennuyeuse*. – Je vous assure,
reprit Amithone, que ce chemin est bien difficile à trouver.
– Si quelqu'un le peut enseigner, répliqua Phaon, ce ne peut
être que Sapho.
   – En mon particulier, reprit Phylire [2], je lui serais fort obligée si elle me voulait dire précisément ce qu'une femme doit
savoir. – Il serait sans doute assez difficile, répliqua Sapho,
de donner une règle générale de ce que vous demandez, car
il y a une si grande diversité dans les esprits qu'il ne peut y
avoir de loi universelle qui ne soit injuste. Mais ce que je
pose pour fondement, est qu'encore que je voulusse que les
femmes sussent plus de choses qu'elles n'en savent pour
l'ordinaire, je ne veux pourtant jamais qu'elles agissent ni
qu'elles parlent en savantes. Je veux donc bien qu'on puisse
dire d'une personne de mon sexe qu'elle sait cent choses dont
elle ne se vante pas, qu'elle a l'esprit fort éclairé, qu'elle
connaît finement les beaux ouvrages, qu'elle parle bien,
qu'elle écrit juste et qu'elle sait le monde, mais je ne veux
pas qu'on puisse dire d'elle : « C'est une femme savante »,
car ces deux caractères sont si différents qu'ils ne se ressemblent point. Ce n'est pas que celle qu'on n'appellera
point savante ne puisse savoir autant et plus de choses que
celle à qui on donnera ce terrible nom, mais c'est qu'elle se

1. Élégante.
2. Comme Amithone et Phaon (et plus loin Nicanor), Phylire est
l'un des personnages qui dialoguent avec Sapho.

agréable, sache débiter les beaux sentiments ; pousser le doux, le tendre, le passionné, et que sa recherche soit dans les formes. Premièrement il doit voir au temple, ou à la promenade, ou dans quelque cérémonie publique la personne dont il devient amoureux ; ou bien être conduit fatalement chez elle, par un parent, ou un ami, et sortir de là tout rêveur et mélancolique. Il cache, un temps, sa passion à l'objet aimé, et cependant lui rend plusieurs visites, où l'on ne manque jamais de mettre sur le tapis une question galante, qui exerce les esprits de l'assemblée. Le jour de la déclaration arrive, qui se doit faire ordinairement dans une allée de quelque jardin, tandis que la compagnie s'est un peu éloignée : et cette déclaration est suivie d'un prompt courroux, qui paraît à notre rougeur, et qui pour un temps bannit l'amant de notre présence. Ensuite il trouve moyen de nous apaiser ; de nous accoutumer insensiblement au discours de sa passion, et de tirer de nous cet aveu qui fait tant de peine. Après cela viennent les aventures ; les rivaux qui se jettent à la traverse d'une inclination établie, les persécutions des pères, les jalousies conçues sur de fausses apparences, les plaintes, les désespoirs, les enlèvements, et ce qui s'ensuit. Voilà comme les choses se traitent dans les belles manières, et ce sont des règles, dont en bonne galanterie on ne saurait se dispenser ; mais en venir de but en blanc à l'union conjugale ! ne faire l'amour qu'en faisant le contrat de mariage, et prendre justement le roman par la queue ! Encore un coup mon père, il ne se peut rien de plus marchand que ce procédé, et j'ai mal au cœur de la seule vision que cela me fait [1].

HENRIETTE ET ARMANDE : CELLE QUI DIT OUI, CELLE QUI DIT NON

Entre 1659 et 1672, les précieuses ont cédé la place aux femmes savantes, dans le théâtre de Molière, mais aussi sur la scène mondaine. Toutefois Philaminte et Armande ne sont pas tout à fait des doubles de Cathos et Magde-

---

1. Molière, *Les Précieuses ridicules* (1659), scène 4, dans *Œuvres complètes*, éd. cit., t. I, p. 10.

lon, car Molière stigmatise moins, dans *Les Femmes
savantes*, des pratiques et des revendications féminines,
voire féministes, que le pédantisme dans ce qui n'est que
sa figuration la plus excessive, à savoir le pédantisme
féminin [1]. C'est dire que, dans le dialogue classiquement
placé à l'ouverture de la pièce, c'est bien à Henriette,
figuration du bon sens, du juste milieu et de la raison,
que le public est appelé à s'identifier.

HENRIETTE

Les suites de ce mot [mariage] quand je les envisage,
Me font voir un mari, des enfants, un ménage ;
Et je ne vois rien là, si j'en puis raisonner,
Qui blesse la pensée, et fasse frissonner.

ARMANDE

De tels attachements, ô Ciel ! sont pour vous plaire ?

HENRIETTE

Et qu'est-ce qu'à mon âge on a de mieux à faire,
Que d'attacher à soi, par le titre d'époux,
Un homme qui vous aime, et soit aimé de vous ;
Et de cette union de tendresse suivie,
Se faire les douceurs d'une innocente vie ?
Ce nœud* bien assorti n'a-t-il pas des appas ?

ARMANDE

Mon Dieu, que votre esprit est d'un étage bas :
Que vous jouez au monde un petit personnage,
De vous claquemurer aux choses du ménage,
Et de n'entrevoir point de plaisirs plus touchants,
Qu'un Idole d'époux, et des marmots d'enfants !
Laissez aux gens grossiers, aux personnes vulgaires,
Les bas amusements de ces sortes d'affaires.
À de plus hauts objets élevez vos désirs,
Songez à prendre un goût des plus nobles plaisirs,
Et traitant de mépris les sens et la matière,
À l'esprit comme nous donnez-vous tout entière :

---

1. Voir la Notice de C. Bourqui dans Molière, *Œuvres complètes*, éd.
cit., t. II, p. 1513 *sq.*

Vous avez notre mère en exemple à vos yeux,
Que du nom de savante on honore en tous lieux,
Tâchez ainsi que moi de vous montrer sa fille,
Aspirez aux clartés qui sont dans la famille,
Et vous rendez sensible aux charmantes douceurs
Que l'amour de l'étude épanche dans les cœurs :
Loin d'être aux lois d'un homme en esclave asservie ;
Mariez-vous, ma sœur, à la philosophie [1].

L'ÉCOLE DES FILLES
OU LA PHILOSOPHIE DANS UN BOUDOIR

L'École des filles est le titre qui fut donné au premier
ouvrage érotique en français, publié en 1655 mais immédiatement interdit, et qui circula sous le manteau
jusqu'au XIXᵉ siècle. Le texte est composé, sur le modèle
de la « Première journée » de la seconde partie des *Rag-
gionamenti* de l'Italien Pietro Aretino, dit l'Arétin, de
deux dialogues entre deux jeunes filles, l'une expérimentée, l'autre parfaitement novice. Il ne constitue rien de
moins qu'un manuel d'éducation sexuelle, où sont précisément décrites, dans une langue extrêmement crue, les
parties des anatomies masculine et féminine, leurs fonc-
tions, leurs différences, ainsi que les diverses manières de
donner du plaisir et d'en recevoir. Le fait, en soi, n'est
pas nouveau, et l'on trouve chez Rabelais des considérations et un lexique analogues. La nouveauté, radicale,
tient au fait que ces dialogues ne mettent pas en scène
les locuteurs habituels de ces discours, mais celles qui
en sont généralement écartées, ou que la littérature ne
représente pas comme telles, à savoir les femmes.

---

1. *Les Femmes savantes*, I, 1, v. 15-44, dans Molière, *Œuvres complètes*, éd. cit., t. II, p. 538-539.

ÉPÎTRE INVITATOIRE

Belles et curieuses damoiselles, voici l'école de votre sagesse et le recueil des principales choses que vous devez savoir pour contenter vos maris quand vous en aurez ; c'est le secret infaillible pour vous faire aimer des hommes quand vous ne seriez pas belles, et le moyen aisé de couler en douceurs et en plaisirs tout le temps de votre jeunesse [...].

PREMIER DIALOGUE

FANCHON. – Et qu'est-ce que les hommes nous apprennent tant, ceux-là qu'on dit être si méchants ?

SUSANNE. – Hélas ! je le sais depuis peu, ce qu'ils nous apprennent, à mon grand plaisir. Ils ne sont pas si méchants que tu penses, mon enfant, mais tu es aussi éloignée de le savoir qu'un aveugle de voir clair, et tant que tu seras privée de leur compagnie et de leurs conseils tu seras toujours dans une stupidité et ignorance qui ne te donneront jamais aucun plaisir au monde. Car dis-moi : en l'état où tu es, comme une fille qui est toujours avec sa mère, quel plaisir as-tu que tu me puisses dire ?

FANCHON. – Quel plaisir ? J'en ai plusieurs, ma cousine. Je mange quand j'ai faim, je bois quand j'ai soif, je dors quand j'ai sommeil, je ris, je chante, je danse, je saute, je vais me promener quelquefois aux champs avec ma mère.

SUSANNE. – Tout cela est bel et bon, mais tout le monde n'en fait-il pas de même ?

FANCHON. – Et comment donc, ma cousine, y a-t-il quelque sorte de plaisir que tout le monde n'a pas ?

SUSANNE. – Vraiment oui, puisqu'il y en a un que tu n'as pas, lequel vaut mieux que tous les autres ensemble, tout ainsi que le vin vaut mieux que l'eau de la rivière [1].

---

1. *L'École des filles*, dans *Libertins du XVIIe siècle*, éd. J. Prévot, Paris, Gallimard, « Bibliothèque de la Pléiade », t. I, 1998, p. 1103 et 1121.

COMMENT L'ESPRIT VIENT AUX FILLES ?
LA RÉPONSE DE LA FONTAINE

La Fontaine n'est pas seulement l'auteur des *Fables*. Il est aussi celui de *Contes et nouvelles en vers* dont la publication est rigoureusement parallèle à celle des différents recueils des *Fables* et s'échelonne entre 1664 et 1685. Il s'agit de contes licencieux, dont la matière est empruntée à Boccace et à d'autres conteurs italiens de la Renaissance, mais également à une tradition française bien ancrée depuis le Moyen Âge. C'est elle que La Fontaine sollicite dans le conte plaisamment intitulé « Comment l'esprit vient aux filles » qui figure dans le recueil des *Nouveaux Contes* publié en 1674.

Après un dialogue liminaire où le conteur évoque un « jeu » et demande « or devinez comment ce jeu s'appelle ? », il poursuit ainsi :

Qu'importe-t-il ? sans s'arrêter au nom,
Ni badiner là-dessus davantage,
Je vais encor vous en dire un usage,
Il fait venir l'esprit et la raison.
Nous le voyons en mainte bestiole.
Avant que Lise allât en cette école,
Lise n'était qu'un misérable oison.
Coudre et filer c'était son exercice ;
Non pas le sien, mais celui de ses doigts ;
Car que l'esprit eût part à cet office,
Ne le croyez ; il n'était nuls emplois
Où Lise pût avoir l'âme occupée :
Lise songeait autant que sa poupée.
Cent fois le jour sa mère lui disait :
Va-t'en chercher de l'esprit malheureuse.
La pauvre fille aussitôt s'en allait
Chez les voisins, affligée et honteuse,
Leur demandant où se vendait l'esprit.
On en riait ; à la fin l'on lui dit :
Allez trouver père Bonaventure,
Car il en a bonne provision.

Incontinent* la jeune créature
S'en va le voir, non sans confusion :
Elle craignait que ce ne fût dommage
De détourner ainsi tel personnage.
Me voudrait-il faire de tels présents,
À moi qui n'ai que quatorze ou quinze ans ?
Vaux-je cela ? disait en soi la belle.
Son innocence augmentait ses appas :
Amour n'avait à son croc de pucelle
Dont il crût faire un aussi bon repas.
Mon Révérend, dit-elle au béat homme
Je viens vous voir ; des personnes m'ont dit
Qu'en ce couvent on vendait de l'esprit :
Votre plaisir serait-il qu'à crédit
J'en pusse avoir ? non pas pour grosse somme ;
À gros achat mon trésor ne suffit :
Je reviendrai s'il m'en faut davantage :
Et cependant prenez ceci pour gage.
À ce discours, je ne sais quel anneau,
Qu'elle tirait de son doigt avec peine,
Ne venant point, le père dit : Tout beau ;
Nous pourvoirons à ce qui vous amène
Sans exiger nul salaire de vous :
Il est marchand et marchande, entre nous ;
À l'une on vend ce qu'à l'autre l'on donne.
Entrez ici ; suivez-moi hardiment ;
Nul ne nous voit, aucun ne nous entend,
Tous sont au chœur ; le portier est personne
Entièrement à ma dévotion ;
Et ces murs ont de la discrétion.
Elle le suit ; ils vont à la cellule.
Mon Révérend la jette sur un lit,
Veut la baiser ; la pauvrette recule
Un peu la tête ; et l'innocente dit :
Quoi c'est ainsi qu'on donne de l'esprit ?
Et vraiment oui, repart Sa Révérence ;
Puis il lui met la main sur le téton :
Encore ainsi ? Vraiment oui ; comment donc ?
La belle prend le tout en patience :
Il suit sa pointe ; et d'encor en encor

> Toujours l'esprit s'insinue et s'avance,
> Tant et si bien qu'il arrive à bon port.

Après avoir ainsi reçu de l'esprit, Lise rentre en songeant chez elle.

> Lise songer ! quoi déjà Lise songe !
> Elle fait plus, elle cherche un mensonge,
> Se doutant bien qu'on lui demanderait,
> Sans y manquer, d'où ce retard venait.
> Deux jours après sa compagne Nanette
> S'en vient la voir : pendant leur entretien
> Lise rêvait : Nanette comprit bien,
> Comme elle était clairvoyante et finette,
> Que Lise alors ne rêvait pas pour rien.
> Elle fait tant, tourne tant son amie,
> Que celle-ci lui déclare le tout.
> L'autre n'était à l'ouïr endormie.
> Sans rien cacher, Lise de bout en bout
> De point en point lui conte le mystère,
> Dimensions de l'esprit du beau père,
> Et les encore, enfin tout le phébé [1].
> Mais vous, dit-elle, apprenez-nous de grâce
> Quand et par qui l'esprit vous fut donné.
> Anne reprit : Puisqu'il faut que je fasse
> Un libre aveu, c'est votre frère Alain
> Qui m'a donné de l'esprit un matin [...] [2].

---

1. Toute l'affaire.
2. La Fontaine, « Comment l'esprit vient aux filles », dans *Contes et nouvelles en vers*, éd. N. Ferrier et J.-P. Collinet, GF-Flammarion, 1980, p. 291-293.

Comédie au sens étroit du terme (pièce comique) comme au sens plus général de pièce de théâtre, *L'École des femmes* dialogue avec deux autres catégories génériques : celle de la littérature narrative, d'où provient son sujet, et avec laquelle elle entretient une relation continue en raison de la part considérable réservée aux récits ; celle de la tragédie, dont certains marqueurs spécifiques sont tournés en dérision dans les monologues d'Arnolphe et que *La Critique de l'École des femmes* achève de déclasser.

MONTRER OU RACONTER : LA CONCEPTION CLASSIQUE DU RÉCIT

L'École des femmes est l'adaptation dramatique de deux sujets (la précaution inutile et le confident inapproprié) [1] qui appartiennent à l'origine à la littérature narrative. Le changement de catégorie générique se traduit par un certain nombre de gestes et décisions, parmi lesquels la réduction de la matière narrative aux coordonnées spatio-temporelles propres au théâtre et la répartition opérée entre les faits qui seront représentés sur scène et ceux qui seront racontés. L'une des singularités de la pièce de Molière tient précisément au choix de ne pas montrer au spectateur les développements de l'intrigue amoureuse et de le priver des scènes à faire (la jeune fille jetant de son balcon une pierre à laquelle elle a attaché

---

1. Voir la Présentation, p. 19-20.

une lettre d'amour, l'amant tombant de l'échelle ou se cachant dans l'armoire, etc.), habituellement représentées dans les comédies à l'espagnole ou dans le théâtre italien. Cette originalité est relevée par les personnages de *La Critique de l'École des femmes* : alors que Lysidas la juge contraire à la nature du poème dramatique, « qui consiste dans l'action », Dorante considère que, dans *L'École des femmes*, les récits « eux-mêmes sont des actions », et Uranie affirme : « je trouve que la beauté du sujet de *L'École des femmes* consiste dans cette confidence perpétuelle ».

Dans *La Pratique du théâtre* (1657), l'abbé d'Aubignac fixe les principes essentiels de la dramaturgie classique. L'examen des nombreux récits de *L'École des femmes* à la lumière des définitions et préceptes rassemblés dans le chapitre que le théoricien consacre aux « narrations » fait apparaître que Molière ne s'est, en réalité, guère écarté de la *doxa*, et qu'il a exploité au mieux les ressources de cette forme propre au théâtre de son temps.

> Les narrations donc, qui se font dans les poèmes dramatiques, regardent principalement deux sortes de choses ; [ou] celles qui se sont faites avant que le théâtre s'ouvre, en quelque lieu qu'elles soient arrivées, et longtemps même auparavant ; ou bien celles qui se font hors le lieu de la scène, dans la suite de l'action théâtrale depuis qu'elle est ouverte, et dans le temps qu'on a choisi pour son étendue.
> Quant à celles qui sont introduites dans le corps du poème pour l'intelligence des choses passées, auparavant que le théâtre soit ouvert, elles se peuvent faire régulièrement au commencement de la pièce, pour en fonder toute l'action, pour en préparer les incidents, et pour faciliter l'intelligence de tout ce qui s'y passe ; ou bien elles se font à la clôture et vers la fin du poème, pour servir à la catastrophe, et au dénouement de toutes les intrigues. [...]
> Pour les choses qui surviennent dans la suite de l'action, le récit s'en doit faire à mesure qu'elles arrivent ; et s'il se trouve nécessaire et plus agréable de le retarder, il y faut employer quelque adresse qui laisse au spectateur le désir de

les apprendre sans impatience ; ou bien lui en ôter l'attente, afin qu'il ne le désire pas avec inquiétude, et que la surprise en soit plus heureuse. Mais il se faut souvenir que ces récits ne sont introduits que pour instruire le spectateur des choses qui se font hors de la scène ; car de faire conter celles qui y ont été vues, ou qui doivent y avoir été vues, comme étant supposées y avoir été faites, ainsi que je l'ai remarqué en quelques modernes, cela sans doute est ridicule [...].

Ce qui reste maintenant, est d'expliquer certaines règles, dont on ne se peut départir dans les narrations sans pécher contre la vraisemblance.

La première est, que celui qui fait un récit en doit savoir l'histoire [selon toutes les apparences] ; autrement il n'est pas vraisemblable qu'il l'ait racontée, s'il n'est pas vraisemblable qu'il l'ait sue.

La seconde, qu'il y ait de sa part une raison puissante pour la raconter, soit par la nécessité d'en avertir la personne intéressée, soit par sa curiosité raisonnable, soit par son autorité sur celui qui doit parler, et autres semblables considérations.

En troisième lieu, il faut que celui qui écoute, ait juste sujet de savoir ce qu'on lui raconte ; [...] d'autant que les narrations ne sont jamais si fortes ni si belles, que quand elles sont faites à la personne intéressée, ou par elle-même ; parce qu'elles sont toujours lors accompagnées d'espoir et de crainte, de tristesse et de joie, ce qui retient l'esprit du spectateur attentif, et avec plaisir [1].

L'AUTRE SCÈNE : LA TRAGÉDIE

Molière, on le sait, n'a pas composé de tragédie. Sa seule et unique incursion dans le champ du théâtre sérieux fut la comédie héroïque de *Dom Garcie de Navarre* (1661), qui connut un échec si cuisant qu'il ne la publia pas, mais en réutilisa de nombreux passages

---

1. Abbé d'Aubignac, *La Pratique du théâtre*, IV, 3, « Des narrations » ; éd. H. Baby, Champion, 2001, p. 413-414 et 426.

dans ses comédies postérieures, et notamment dans *Le Misanthrope*. Il ne cessa pas, toutefois, de représenter les tragédies d'autres auteurs, et en créa même plusieurs, parmi lesquelles certaines tragédies de Racine et de Corneille. Aux dires de ses adversaires, il était un piètre acteur tragique[1], et c'est la raison pour laquelle il ne jouait que très rarement dans les tragédies que représentait la troupe.

L'École des femmes et *La Critique de l'École des femmes* donnent à voir deux manières, très différentes, de jouter avec la tragédie : dans la seconde, Molière se livre à un parallèle entre les deux genres, évidemment défavorable à la tragédie qu'il fait passer pour un genre artificiel et guindé, et ce parallèle se poursuivra dans *L'Impromptu de Versailles* sur le terrain du jeu de l'acteur[2] ; dans la première, il reprend de manière parodique certains vers (un court extrait du *Sertorius* de Corneille, par exemple) ou plus largement des situations ou des expressions caractéristiques de la tragédie, localisées pour l'essentiel dans les monologues d'Arnolphe. Les contemporains pouvaient identifier l'une d'entre elles : le désespoir d'Arnolphe à la scène 4 de l'acte V (v. 1586-1604) démarque, de manière parodique, la scène des fureurs d'Hérode, roi de Judée, après la mort de son épouse Mariane – dont il est pourtant le responsable –, dans *La Mariane* de Tristan L'Hermite. Cette tragédie, dont le sujet était emprunté à l'histoire juive, avait été créée en 1636. Elle était l'une des plus célèbres du XVIIᵉ siècle et appartenait au répertoire de la troupe de Molière, qui la joua vingt-trois fois entre 1659 et 1667.

HÉRODE

Quoi, Mariane est morte ? ô destins ennemis !
La Parque l'a ravie, et vous l'avez permis ?

---

1. Voir l'extrait de *L'Impromptu de l'Hôtel de Condé* dans le Dossier, p. 203.
2. Voir également le Dossier, p. 198.

Vous avez donc souffert cette triste aventure,
Sans imposer le deuil à toute la nature ?
Quoi ? Son corps sans chaleur est donc enseveli,
Et l'univers n'est point encore démoli ?
Vous avez donc rompu l'agréable harmonie
Que vous aviez commise à son divin génie,
Vous avez donc fermé sa bouche, et ses beaux yeux,
Et n'avez point détruit la structure des cieux ?
Cruels, dans cette perte à nulle autre seconde,
Vous deviez faire entrer celle de tout le monde [1],
Enlever l'univers hors de ses fondements,
Et confondre les cieux avec les éléments,
Rompre le frein des mers, éteindre la lumière,
Et remettre ce tout en sa masse première.
Mariane est en cendre, et l'ombre du tombeau
Reçoit donc le débris d'un chef-d'œuvre si beau ?
Laisse agir ta douleur, mets tes mains en usage,
Arrache tes cheveux, déchire ton visage,
Oblige tous les tiens à te faire périr,
Ou bien meurs du regret de ne pouvoir mourir.
Ne te console point, monarque misérable [2].

---

1. Du monde entier.
2. Tristan L'Hermite, *La Mariane*, V, 3, v. 1678-1700 ; éd. G. Peureux, GF-Flammarion, 2003, p. 113.

de l'acteur Provost au Théâtre-Français. Habitué à jouer dans les drames romantiques et les mélodrames du théâtre de la Porte-Saint-Martin, il confère au personnage une forme de morosité, sinon de gravité, et émeut particulièrement dans la scène de jalousie de l'acte V[1]. Commence alors une période marquée par un net infléchissement du rôle vers le sérieux, voire le tragique, infléchissement dont les mises en scène modernes et contemporaines seront héritières ou par rapport auquel elles auront à se positionner.

LA MISE EN SCÈNE DE LOUIS JOUVET

Il en va ainsi de la plus célèbre des mises en scène de *L'École des femmes* : celle de Louis Jouvet, qui fut présentée six cent soixante-quinze fois entre 1936, date de sa création au théâtre de l'Athénée, et 1951, date de la mort de l'acteur. Cette mise en scène nous est connue à la fois par les témoignages de certains de ses spectateurs les plus illustres, tels que les metteurs en scène Antoine Vitez ou Giorgio Strehler, par l'enregistrement sonore qui en fut réalisé et par quelques images, photographies ou très courts films. Giorgio Strehler « affirmait être né au théâtre avec elle[2] » ; Antoine Vitez, qui la vit sept fois, y trouvait remarquable la correspondance entre la structure de la pièce, qui donne une place prépondérante à Arnolphe, et la distribution, ou plus exactement la façon dont les acteurs « gravitaient autour » d'Arnolphe-

---

1. Voir M. Descotes, *Les Grands Rôles du théâtre de Molière*, PUF, 1960, p. 28-31.
2. Jacques Lassalle dans *Dossier de presse : L'École des femmes*, pour sa mise en scène de la pièce au théâtre de l'Athénée (2001), cité par È.-M. Rollinat dans « *L'École des femmes* à la scène : pleins feux sur Arnolphe », dans *Les Mises en scène de Molière du XXe siècle à nos jours* (actes du 3e colloque international de Pézenas, 3-4 juin 2005), dir. G. Conesa et J. Émelina, Pézenas, Domens, 2007, p. 134-173.

© Agence Bernand

Acte IV, scène 3 : Arnolphe, le notaire et Alain.
Mise en scène de Louis Jouvet au théâtre de l'Athénée

Jouvet [1]. À rebours de l'interprétation sérieuse qui préva-
lait généralement, Jouvet s'attachait à faire rire, ce dont
témoigne l'enregistrement sonore conservé, ainsi que certaines images mettant en valeur l'insistance, soulignée
par la gestuelle, sur la peur du cocuage. Avec Jouvet,
L'École des femmes redevint, dans une large mesure – la
scène de la jalousie était interprétée avec plus de gravité

---

1. A. Vitez, « Journal 27. 09. 1978 », dans *Écrits sur le théâtre*, vol. 3,
La Scène. 1975-1983, éd. N. Léger, P.O.L., 1996, p. 98.

© Agence Bernand

*Décor de Christian Bérard pour la mise en scène
de Louis Jouvet au théâtre de l'Athénée*

que les autres –, une pièce gaie et très rythmée[1]. Ce
dernier effet était obtenu notamment par la représentation de certains des événements rapportés dans des récits,
tels que la scène où Agnès jette le grès sur Horace (III,
4), ou celle où Arnolphe, fou de jalousie, met sens dessus
dessous le cabinet d'Agnès (IV, 2 et IV, 6). Si le rôle
d'Arnolphe fut pendant quinze ans interprété uniquement par Jouvet, il n'en alla pas de même de celui
d'Agnès. L'une des interprètes du rôle fut particulièrement remarquée : il s'agit de Madeleine Ozeray, que
Jouvet semblait avoir chargée de porter seule le caractère

1. Voir encore M. Descotes, *Les Grands Rôles du théâtre de Molière*,
op. cit., p. 37.

pathétique et la profondeur de la pièce et qui rendait sensible la transformation du personnage et la montée de la révolte, qui éclate au cinquième acte [1].

Enfin, la mise en scène de Jouvet frappa les esprits par le décor dans lequel la pièce était représentée. Imaginé par Christian Bérard, sur une idée de Jouvet lui-même, ce décor était double : on y voyait une place bordée de galeries avec, en son centre, la maison d'Arnolphe donnant sur un petit jardin bordé par deux murs qui s'ouvraient et se refermaient sur lui selon les besoins de l'action (voir les photographies p. 235 et 236).

LA MISE EN SCÈNE DE JACQUES LASSALLE

C'est ce dispositif scénique que Jacques Lassalle reprit pour la mise en scène qu'il proposa de la pièce en 2001. Il s'agissait là d'une forme d'exercice à contraintes : pour célébrer, en effet, le cinquantième anniversaire de la mort de Jouvet, le directeur du théâtre de l'Athénée, Patrice Martinet, demanda à plusieurs metteurs en scène de remonter certaines des pièces qu'avait mises en scène Jouvet ; aux côtés de *La Folle de Chaillot* de Giraudoux et de *La Machine infernale* de Cocteau, on put alors voir les deux Molière que Jouvet avait le plus affectionnés, un *Dom Juan* monté par Daniel Mesguich et *L'École des femmes*. Pour cette dernière pièce, Patrice Martinet ajouta une contrainte : reprendre le décor de Bérard et confronter ainsi le texte de Molière à « sa mise en scène la plus mémorable », selon les mots de Jacques Lassalle. La scénographie de ce spectacle ajoute toutefois au dispositif hérité de Bérard un troisième espace de jeu, hors décor et hors cadre référentiel, qui est utilisé pour certains monologues d'Arnolphe et pour les deux dialogues avec Chrysalde : l'avant-scène, séparée alors du décor par un rideau

---

1. *Ibid.*, p. 55.

opaque et qui semble fonctionner comme l'espace de la conscience d'Arnolphe. Les deux rôles principaux étaient confiés à Olivier Perrier, qui jouait un Arnolphe tout en nuances, atteignant régulièrement le point de bascule entre ridicule et pathétique, et à Caroline Piette, Agnès naïve, puis souffrante, puis décidée à prendre son envol – conformément aux trois étapes que dessine le texte –, qui laissait couler quelques larmes en lisant les *Maximes du mariage* à l'acte III.

LA MISE EN SCÈNE DE DIDIER BEZACE

C'est en 2001 également que fut présentée, à l'occasion du festival d'Avignon et dans la cour même du palais des Papes, une mise en scène de la pièce par Didier Bezace. Pierre Arditi y interprétait Arnolphe et Agnès Sourdillon, actrice plus âgée que la plupart de celles à qui l'on confie généralement le rôle, celui d'Agnès. La mise en scène de Didier Bezace assumait pleinement son statut de lecture de l'œuvre : il s'agissait d'y montrer l'isolement et la folie d'Arnolphe, personnage qui ne communique jamais avec les autres – pas même avec son supposé ami Chrysalde –, et dont la position insulaire était matérialisée par un dispositif scénographique original, plateau surélevé qui représentait l'espace d'Arnolphe et auquel les autres personnages n'accédaient que par des trappes ou des échelles. Pierre Arditi était un Arnolphe continûment pathétique, ténébreux et splendide – costume de voyageur découvrant au fil des actes la poitrine de l'acteur, chevelure argentée secouée par le mistral ou l'émotion… – qui ne suscitait jamais le ridicule, le comique étant assumé en revanche par tous les autres personnages, à l'exception d'Agnès. Par son timbre de voix et son élocution délibérément antinaturelle, son allure de fille sans âge (petite fille ou vieille fille), Agnès

Sourdillon donnait à son personnage une forme d'indifférence inquiétante, pendant de la folie d'Arnolphe.

Molière, Provost, Jouvet, Jacques Lassalle et Didier Bezace : ce ne sont là que des jalons dans une longue histoire, qui passe également par le cycle qu'Antoine Vitez consacra à quatre pièces de Molière (*L'École des femmes*, *Le Tartuffe*, *Dom Juan* et *Le Misanthrope*) en 1978 et, en 1973, par la mise en scène de Jean-Paul Roussillon à la Comédie-Française, avec dans les rôles principaux Michel Aumont et une actrice promise à un bel avenir : Isabelle Adjani. L'immense majorité de ces mises en scène fait de *L'École des femmes* la pièce, voire la *tragédie* d'Arnolphe et, en dépit des discours de certains metteurs en scène qui voient bien dans la pièce le fantasme d'un inceste [1], c'est rarement le point de vue d'Agnès qui est mis en valeur. De sorte que, comme le formule Ève-Marie Rollinat, on observe un « décalage net entre le discours traditionnellement féministe que continue de susciter *L'École des femmes*, en particulier dans le cadre de son exploitation pédagogique, et bien des mises en scène contemporaines [2] ». Doit-on, dès lors, former le vœu qu'on puisse être un jour davantage touché par le drame d'Agnès que par celui d'Arnolphe, ou que *L'École des femmes* puisse être jouée comme ce qu'elle était pour son créateur et ce qu'elle fut pour Jouvet : une pièce comique, avec en son centre un personnage ridicule ?

---

1. Conformément aux analyses de J.-M. Apostolidès dans *Le Prince sacrifié* (Minuit, 1985, p. 146 *sq.*), pour lequel, « comme plusieurs personnages chez Molière (Sganarelle dans *L'Amour médecin* par exemple, qui « veu[t] garder [s]on bien et [s]a fille pour [lui] ») Arnolphe manifeste un fort penchant pour l'inceste père-fille ».

2. È-M. Rollinat, « *L'École des femmes* à la scène : pleins feux sur Arnolphe », art. cité, p. 172-173.

CHRONOLOGIE

CHRONOLOGIE

	REPÈRES HISTORIQUES ET CULTURELS	VIE ET ŒUVRES DE MOLIÈRE
1610	Avènement de Louis XIII. Début de la régence de Marie de Médicis.	
1622	Paix de Montpellier avec les protestants.	15 janvier : baptême en l'église Saint-Eustache (Paris) de Jean-Baptiste Poquelin, fils de Jean Poquelin, marchand tapissier.
1624	Début du ministère de Richelieu.	
1627	Fondation de la Compagnie du Saint-Sacrement de l'Autel.	
1629-1634	Premières comédies de Corneille.	
1632		Mort de la mère de Jean-Baptiste.
1635	Fondation de l'Académie française.	Jean-Baptiste Poquelin entre au collège de Clermont (actuel lycée Louis-le-Grand).
1637	*Le Cid* de Corneille. *Le Discours de la méthode* de Descartes.	
1640	Parution de l'*Augustinus* de Jansénius.	
1642	Révolution en Angleterre. Mort de Richelieu. *Cinna* de Corneille.	
1643	Mort de Louis XIII. Début de la régence d'Anne d'Autriche.	Jean-Baptiste renonce à la charge paternelle de tapissier du roi. Fondation de l'Illustre-Théâtre avec la famille Béjart.

1644	Première apparition du nom de Molière. La troupe joue à Paris.
1645	Faillite de l'Illustre-Théâtre.
1646	Fusion avec la troupe de Charles Dufresne, protégée par le duc d'Epernon et départ pour la province (ouest et sud de la France).
1648	Traité de Westphalie. Début de la Fronde.
1650	Mort de Descartes.
1652	
1653	Retour de Mazarin. Fin de la Fronde. La troupe est protégée par le prince de Conti, prince du sang et frère du Grand Condé.
1655	Négociations avec Cromwell en vue d'une alliance franco-anglaise contre l'Espagne. Création à Lyon de *L'Étourdi*, la première comédie de Molière, entre 1653 et 1655.
1656	Parution des *Provinciales* de Pascal. Le *Dépit amoureux* est joué à Béziers.
1656-1657	
1657	Parution de *La Pratique du théâtre* de l'abbé d'Aubignac. Conti retire son patronage.
1658	Mort de Cromwell. Printemps : séjour de la troupe à Rouen et rencontre avec Corneille.

	REPÈRES HISTORIQUES ET CULTURELS	VIE ET ŒUVRES DE MOLIÈRE
		Octobre : arrivée à Paris. Monsieur, frère du roi, accorde sa protection à la troupe ; le roi lui offre la salle du Petit-Bourbon, qu'elle devra partager avec les Comédiens-Italiens.
1659	Paix des Pyrénées (l'Espagne cède à la France l'Artois et le Roussillon).	*Les Précieuses ridicules.*
1660	Mariage de Louis XIV et de Marie-Thérèse. Restauration des Stuarts. Parution du *Théâtre* de Corneille accompagné des trois *Discours* et des *Examens*.	*Sganarelle ou le Cocu imaginaire.* Démolition de la salle du Petit-Bourbon. La troupe est relogée dans la salle du Palais-Royal.
1661	Mort de Mazarin. Début du règne personnel de Louis XIV. Disgrâce de Fouquet. Colbert est nommé au Conseil ; Lully obtient la charge de surintendant de la Musique du roi ; Le Vau commence les travaux à Versailles.	Échec de *Dom Garcie de Navarre*, comédie héroïque ; *L'École des maris* (Palais-Royal) ; création à Vaux-le-Vicomte des *Fâcheux*, première comédie-ballet de Molière.
1662	Mort de Pascal.	Mariage de Molière avec Armande Béjart. *L'École des femmes* (Palais-Royal). Premier séjour de la troupe à la cour.
1663		Querelle de *L'École des femmes*. *La Critique de l'École des femmes* (Palais-Royal) et *L'Impromptu de Versailles* (Versailles).

CHRONOLOGIE

1664	Création de la Compagnie des Indes. Condamnation de Fouquet après quatre ans de procès. Représentation par les Comédiens-Italiens de *Scaramouche ermite*.	*Le Mariage forcé*, comédie-ballet (Louvre). Début de l'association avec Lully pour la comédie-ballet. Baptême de Louis, premier fils de Molière, qui a pour parrain le roi. Mai : fêtes des « Plaisirs de l'île enchantée » à Versailles. Le 8, Molière donne *La Princesse d'Elide*, comédie-ballet galante, et le 12, la première version du *Tartuffe*, en trois actes. La pièce est interdite. La troupe crée *La Thébaïde* de Racine.
1665	Colbert devient contrôleur général des Finances. Mort de Philippe IV d'Espagne et préparation de la guerre de Dévolution. *Le Traité de la comédie* de Pierre Nicole paraît pour la première fois avec *Les Imaginaires*.	*Dom Juan* (Palais-Royal), puis querelle de *Dom Juan*. La troupe devient celle des « Comédiens du roi ». *L'Amour médecin* (Versailles). Brouille avec Racine, qui confie *Alexandre* à la troupe rivale de l'Hôtel de Bourgogne.
1666	Mort d'Anne d'Autriche. Alliance avec la Hollande contre l'Angleterre (guerre franco-anglaise). Abbé d'Aubignac, *Dissertation sur la condamnation des théâtres*. Parution du *Traité de la comédie et des spectacles* du prince de Conti.	Molière est gravement malade. *Le Misanthrope* (Palais-Royal), *Le Médecin malgré lui* (Palais-Royal).

CHRONOLOGIE

	REPÈRES HISTORIQUES ET CULTURELS	VIE ET ŒUVRES DE MOLIÈRE
1667	Début de la guerre de Dévolution : conquête de la Flandre. *Andromaque* de Racine.	*La Pastorale comique* et *Le Sicilien ou l'Amour peintre*, comédies-ballets (*Ballet des Muses*, Saint-Germain). 5 août : unique représentation de *L'Imposteur*, version remaniée du *Tartuffe*, immédiatement interdite.
1668	Les traités de Saint-Germain et d'Aix-la-Chapelle mettent fin à la guerre de Dévolution. La Flandre est annexée. Six premiers livres des *Fables* de La Fontaine.	*Amphitryon* (Palais-Royal). *George Dandin* (Versailles) ; *L'Avare* (Palais-Royal).
1669		5 février : première représentation du *Tartuffe* enfin autorisé. Mort du père de Molière. *Monsieur de Pourceaugnac*, comédie-ballet (Chambord).
1670	Mort d'Henriette d'Angleterre, épouse de Monsieur, frère du roi. *Élomire hypocondre* de Le Boulanger de Chalussay, pamphlet injurieux écrit contre Molière.	*Les Amants magnifiques*, comédie-ballet (Saint-Germain), *Le Bourgeois gentilhomme*, comédie-ballet (Chambord).
1671		*Psyché*, tragédie-ballet à machines (Tuileries). *Les Fourberies de Scapin* (Palais-Royal). *La Comtesse d'Escarbagnas*, comédie-ballet (Saint-Germain).

CHRONOLOGIE

CHRONOLOGIE		
1672		Mort de Madeleine Béjart. Rupture avec Lully. *Les Femmes savantes* (Palais-Royal).
1672-1673		Guerre franco-hollandaise.
1673		(27 avril) Création de la première tragédie lyrique française, *Cadmus et Hermione*, de Lully et Quinault.
		Le Malade imaginaire (musique de Marc Antoine Charpentier), comédie-ballet (Palais-Royal). 17 février : mort de Molière. Sa troupe est réunie avec celle du Marais et joue au théâtre Guénégaud.
1674		*Suréna*, dernière tragédie de Corneille. *Iphigénie* de Racine et *Alceste*, tragédie lyrique de Lully et Quinault (Versailles).
1677		*Phèdre* de Racine.
1680		Remariage d'Armande avec le comédien Guérin d'Estrinché. Création de la Comédie-Française, où sont regroupées les troupes de l'Hôtel de Bourgogne et du théâtre Guénégaud.
1682		Édition des *Œuvres complètes* de Molière.

BIBLIOGRAPHIE

ŒUVRES DE MOLIÈRE

Molière, *Œuvres complètes*, éd. dirigée par G. Forestier et C. Bourqui (avec la collaboration de E. Caldicott, A. Riffaud, A. Piéjus, D. Châtaignier, G. Conesa, B. Louvat-Molozay, L. Michel, J. Lichtenstein et L. Naudeix), Gallimard, « Bibliothèque de la Pléiade », 2010, 2 tomes.

SUR LE THÉÂTRE DU XVIIᵉ SIÈCLE

Jean-Marie APOSTOLIDÈS, *Le Prince sacrifié. Théâtre et politique au temps de Louis XIV*, Minuit, « Arguments », 1985.

Gabriel CONESA, *La Comédie de l'âge classique. 1630-1715*, Seuil, « Écrivains de toujours », 1995.

Brigitte PROST, *Le Répertoire classique sur la scène contemporaine. Les jeux de l'écart*, Presses universitaires de Rennes, 2010.

Jacques SCHERER, *La Dramaturgie classique en France*, Nizet, 1951.

Véronique STERNBERG-GREINER, *La Poétique de la comédie*, SEDES, « Campus », 1999.

Véronique STERNBERG-GREINER, *Le Comique*, Flammarion, GF-Corpus, 2003.

Sur Molière

Claude BOURQUI, *Les Sources de Molière*, SEDES, 1999.

Claude BOURQUI et Claudio VINTI, *Molière à l'école italienne. Le lazzo dans la création moliéresque*, L'Harmattan Italia, 2003.

Gabriel CONESA, *Le Dialogue moliéresque*, PUF, 1983.

Gabriel CONESA et Jean ÉMELINA (dir.), *Les Mises en scène de Molière du XXᵉ siècle à nos jours*, actes du 3ᵉ colloque international de Pézenas, 3 et 4 juin 2005, Pézenas, Domens, 2007.

Michel CORVIN, *Molière et ses metteurs en scène d'aujourd'hui : pour une analyse de la représentation*, Presses universitaires de Lyon, 1985.

Patrick DANDREY, *Molière ou l'Esthétique du ridicule*, Klincksieck, 1992.

Gérard DEFAUX, *Molière ou les Métamorphoses du comique*, Lexington, French Forum Publishers, 1980 ; rééd. Klincksieck, 1992.

Maurice DESCOTES, *Les Grands Rôles du théâtre de Molière*, PUF, 1960.

Georges FORESTIER, *Molière*, Bordas, « En toutes lettres », 1990.

Jean DE GUARDIA, *Poétique de Molière. Comédie et répétition*, Genève, Droz, 2007.

Jacques GUICHARNAUD, *Molière, une aventure théâtrale*, Gallimard, 1963.

Antony MCKENNA, *Molière dramaturge libertin*, Champion classiques, « Essais », 2005.

Gustave MICHAUT, *Les Luttes de Molière*, Hachette, 1925.

Brice PARENT, *Variations comiques : les réécritures de Molière par lui-même*, Klincksieck, 2000.

Sur *L'École des femmes* et *La Critique de l'École des femmes*

La Querelle de l'École des femmes, comédies de Jean Donneau de Visé, Edmé Boursault, Charles Robinet, A.J. Montfleury,

Jean Chevalier, Philippe de La Croix. Édition critique par Georges Mongrédien, Nizet, 1971, 2 tomes.

J.D. HUBERT, « *L'École des femmes*, tragédie burlesque », *Revue des sciences humaines*, 1960, n° 97, p. 41-52.

Bernard MAGNÉ, « *L'École des femmes* ou la conquête de la parole », *Revue des sciences humaines*, 1972, n° 145, p. 125-140.

Bernard MAGNÉ, « Présence et fonction de l'idéologie religieuse dans *L'École des femmes* », *Études sur Pézenas*, IV, 3, 1973, p. 37-48.

Gabriel CONESA, « Remarques sur la structure dramatique de *L'École des femmes* », *Revue d'histoire du théâtre*, 1978, n° 30, p. 120-126.

Ève-Marie ROLLINAT, « *L'École des femmes* à la scène : pleins feux sur Arnolphe », dans *Les Mises en scène de Molière du XXᵉ siècle à nos jours*, actes du 3ᵉ colloque international de Pézenas, 3 et 4 juin 2005, Pézenas, Domens, 2007, p. 134-173.

OUTILS ÉLECTRONIQUES

Molière 21 (www.moliere.paris-sorbonne.fr)
Tout Molière (www.toutmoliere.net)

FILMOGRAPHIE

L'École des femmes, mise en scène de Didier Bezace, Studio : TF1 Vidéo, 2002.
L'École des femmes, mise en scène de Jacques Lassalle, Studio : Copat, 2005.

GLOSSAIRE

ACCIDENT : ce qui arrive par hasard (et qui est généralement déplaisant, voire malheureux).
ADMIRER : s'étonner de.
AIMABLE : digne d'être aimé.
ASSIGNATION : rendez-vous.
ASSOMMER : tuer par un coup violent.
AVENTURE : événement ; circonstance.

BAGATELLE : propos ou objet de peu d'importance.
BIENTÔT : promptement.
BIZARRE : extravagant.
BLANC : fard.
BLANCHIR : faire des efforts inutiles, manquer sa cible.

ÇÀ : ici.
CANONS : pièces de dentelle qu'on attachait à hauteur du genou et qui couvraient le mollet.
CHAGRIN (adj.) : fâché.
CHAGRIN (subst.) : colère ; aigreur ; mauvaise humeur.
CITOYEN : habitant d'une ville.
COMME : comment.
CONFÉRENCE : entretien.
CONFONDRE : surprendre, démasquer.
CONFUSION : honte.
CONNAÎTRE : reconnaître.
COQUETTE : femme qui aime plaire, voire séduire.
CREVER : mourir (non trivial).

D'ABORD : immédiatement ; **D'ABORD QUE** : aussitôt que.
DAUBER : tourner en ridicule ; médire.

Décevant : trompeur.
Décevoir : tromper.
Degrés : escaliers.
Disgrâce : malheur.

Éclat : révélation.
Éclater : être révélé au grand jour ; Faire éclater : révéler au grand jour.
Effaroucher (s') : se mettre en colère.
Embarrasser : plonger dans une situation inextricable (sens plus fort que dans la langue moderne).
Émouvoir (s') : s'agiter.
En revanche : en retour.
Ennui : souffrance, douleur.
Ennuyer (s') : se désespérer, s'affliger.
Ennuyeux : désespérant.
Étonner : ébranler.
Étrange : extraordinaire ; choquant.
Étrangement : extraordinairement.

Faquin : coquin.
Fat : imbécile.
Fierté : rudesse, brutalité.
Froid : plat ; de mauvais goût.
Fronder : critiquer ; combattre.
Flamme : amour.
Flatter : cajoler.

Gager : parier.
Gai : en bonne santé.
Gaillard : vigoureux, en bonne santé.
Galamment : avec élégance.
Galant (adj.) : élégant, spirituel.
Galant (subst.) : amant ; séducteur.
Galanterie : élégance.
Généreux : magnanime.
Gloire : honneur.
Glorieux : digne, estimable.

HABILE : savant ; sage.
HABILETÉ : sagesse.
HARDES : objets, meubles ou vêtements (sans nuance péjorative).
HEUR : bonheur.
HONNÊTEMENT : poliment.
HONNÊTETÉ : politesse.
HYMEN : mariage.

IMBÉCILE : faible, sans vigueur.
IMPERTINENT : qui est contre la raison ou la bienséance ; déplacé ; mal élevé.
INCONTINENT : aussitôt.
INFÂME : sans honneur ; déshonorant.
INQUIET : tourmenté, agité.
INQUIÉTER : tourmenter, agiter.
INQUIÉTUDE : tourment, angoisse.

JOUER : tourner en dérision, se moquer de.

LAS : hélas.
LIBERTIN : qui agit librement, qui prend des libertés.

MÉCHANT : mauvais.
MERVEILLEUX : hors du commun, extraordinaire.

NŒUD : mariage.

ORDURE : obscénité.

POLITIQUE : conduite, manière de se conduire.
POULET : billet doux.
PROTESTER : déclarer ; assurer.
PRUDENT : sage.
PUBLIER : rendre public ; faire connaître.

QUALITÉ : noblesse, ascendance noble.

RÊVER : réfléchir, réfléchir à.

SANS DOUTE : certainement, assurément.
SEMBLANT (FAIRE) : laisser paraître.
SOT : cocu.
SOUFFRIR : supporter ; permettre.

TANT : tellement.
TÔT : vite.
TRANSPORT : élan d'amour ou d'émotion.
TRISTE : désespérant, épouvantable.
TRISTESSE : affliction, désespoir.

VISION : rêverie.

TABLE

___

L'École des femmes
La Critique de l'École des femmes

Mise en page par Meta-systems
59100 Roubaix

N° d'édition : L.01EHPN000429.C006
Dépôt légal : avril 2011
Imprimé en Espagne par Novoprint (Barcelone)